D1195712

Basic French Reader

Basic French Reader

REVISED

JULIAN HARRIS

The University of Wisconsin

ANDRÉ LÉVÊQUE

photos · Peter Buckley

HOLT, RINEHART and WINSTON · NEW YORK

Copyright © 1964, by Holt, Rinehart and Winston, Inc.
Library of Congress Catalog Card Number: 64-16174

An album of two twelve-inch, 33⅓ rpm records as well as a complete set of magnetic tape recordings accompany this text. For further information please ask at your bookstore or write directly to the publisher:

Holt, Rinehart and Winston, Inc.
383 Madison Avenue,
New York, 10017.

Other books by the same authors:

BASIC FRENCH READER

INTERMEDIATE CONVERSATIONAL FRENCH

33480-1614

Printed in the United States of America

INTRODUCTION

In this Reader, as in our other books, we take as our point of departure the assumption that language is something you *do* and that the easiest and most natural way to learn a language is by using it. In our Basic Conversational French and Intermediate Conversational French[1] we provide texts and exercises for practice in understanding and speaking the language; in the Reader we provide texts and exercises for practice in reading.

The book is made up of a series of descriptions of the reactions of young Americans to life in present-day France. For the most part, they are in the form of conversations. We chose this form in the first place because students and teachers all over the country had shown unusual enthusiasm for our conversational text books; then, when we tried out sample lessons in the classroom, we found that students seemed to learn more quickly how to get at the meaning of a passage when the text is in the form of dialogue than when the same material is presented in a straight descriptive passage. We have chosen subject matter which, we think, contributes to the students' understanding of the French way of life and to their appreciation of some of the problems of twentieth century France. In addition to these sketches, we have included a half-dozen Fables of the matchless and ageless La Fontaine. We have provided a translation of the Fables—somewhat pedestrian, alas, but accurate—so that no beginning student of French will run the risk of doing even greater violence to these little masterpieces.

The present edition differs from the previous one as follows: (1) we have included additional chapters entitled "Conversation sur l'économie," "Plan d'urbanisme," and "Son et Lumière"; (2) we have completely rewritten the chapters on education and on the automobile industry; (3) we have examined carefully all the other chapters and revised them—sometimes to bring them up to date as to content, sometimes to make them more readily comprehensible, sometimes merely to repeat expressions that have caused difficulty; and (4) we have rewritten all the questionnaires so that all the questions can be answered easily in French by beginning students and we have increased the number of questions for each lesson. We have also prepared a Teacher's Manual in which we have included a detailed description of the way we go about teaching students to read in French. Samples of the tape scripts we have worked out for students preparing reading assignments in the language laboratory are also to be found in the Teacher's Manual.

* * *

It is often assumed that reading is a "passive skill" and that students of a foreign language can be depended upon to learn how to read more or less on their own. But while it is true that some students do indeed learn to read without much guidance from the instructor, others never get beyond the rudimentary business of vocabulary thumbing and painfully piecing together a crude jumble of supposed English equivalents of words in the foreign language. We believe one should regard reading in a foreign language as a *very active* skill and that most students need a great deal of help if they ever hope to learn to read expertly in French.

Knowing how to read surely means (1) having the ability to convert the graphic symbols that represent words and phrases into actual words and phrases and (2) having the ability to understand the precise meaning of the text. It takes *years* of practice for one to learn to read efficiently even in one's mother tongue. One must learn to take in the meaning of several words at a glance, to keep the context clearly in mind, to analyze complicated sentences, to consult a dictionary, to backtrack when the meaning of a phrase is not clear, to form tentative interpretations and to verify or abandon them, to use all possible clues as to a writer's thought or his intentions, to remember sharply all referents, to anticipate, to recall, to relate what he is reading to paragraphs or chapters he has already read, and so on. How can anyone think this is a "passive skill"?

If students have already learned to understand and use orally a fair stock of expressions in the foreign language, they can be quickly taught to convert the printed words and phrases that make up these expressions into actual words and phrases, and to associate the meaning of the printed form of the phrases with the spoken phrases they have learned. But learning how to get at the meaning of an unfamiliar text in the foreign language takes a long time, much persistence, and real ingenuity—both on the part of the students and of the instructor. For while it is possible to carry over into the foreign language some of the skill one has acquired in reading in English, the transfer is by no means automatic. And unfortunately the problem is complicated still further by the fact that one inevitably begins to read in a foreign language while he is still learning the language.

We have tried to make the first sketches so simple and so easy that the students will be able, from the very beginning, to grasp the meaning of the text in French without continually attaching an English equivalent to each word. However, when students first begin to read in a foreign language, they tend to read word by word; and if left to their own devices, they quickly get the habit of automatically looking up every word they do not immediately recognize. Very few would automatically develop the more fruitful habit of trying to understand meaning *in the foreign language*. Therefore we believe it is of the greatest importance that students be told *and shown*, at the beginning, that reading a lesson does not mean looking up all the unfamiliar words and writing them down or memorizing them before beginning to think what it is all about.

We have prepared a tape for each of the twenty-eight sketches to give students practice in reading in French and understanding in French.[2] We find that if students prepare their reading assignments with the help of the tapes, it takes very little time in class to clear up the meaning of difficult expressions and that, consequently, most of the class hour can be used for reading aloud in French, asking questions on the text in French, résumés, fine points of grammar and of translation, dramatizations, and so on.

If the tapes are not used, the instructor can no doubt find other ways of combating the student's natural tendency to look up words and to postpone thinking as long as possible! Before the first reading lesson, we brief the students somewhat as follows:

"The purpose of the reading lessons is to help you learn to read in French—that is, to read and understand something that is written in French just as you understand something that is written in English. The purpose is not to teach you to translate the words into English but to understand in French just what the French text is all about. If in reading English you had to explain the meaning of each word as you read, it would take you a week even to read the newspaper. So don't try to explain the meaning of individual words but to understand the meaning of phrases or groups of words.

Although reading lessons will no doubt help your pronunciation, increase your working vocabulary, and improve your listening comprehension, remember that their real purpose is to help you learn to read intelligently in French. Bear in mind that you should always (a) listen attentively to your instructor as he reads each phrase, (b) look attentively at the printed words, and (c) try hard to understand the precise meaning of what you are reading."

Conducting the first few reading lessons as sight reading is one way to show students how to get at the meaning without undue reference to the vocabulary. When students begin to prepare reading assignments by themselves, we suggest that they be "broken in" by reading questions in the questionnaire for themselves and trying to find the answers in the text. This seems to help them make an "educated guess" as to the meaning of sentences; and once they do this, they are in a position to verify or correct their impression by consulting the vocabulary.

Outside reading. We recommend that before the end of the first semester, the students be given at least a small amount of "outside reading for content only." Important as close reading is, it is also useful to learn to get "the general idea"—and to know the difference between the two!

Rereading. Reading in a foreign language is perhaps the most difficult task that first-year language students have to confront. At this point, the only way they can have the experience of reading in French with something approaching fluency is to reread something they have learned to read. Therefore we advise them to reread each chapter at least once or twice after taking it up in class, and before each quiz we advise them to reread all the chapters covered since the previous quiz. In addition to helping them increase their working vocabulary, this practice is invaluable for building up a sort of "feel" for the language. We think it is much more consonant with the new teaching procedures than the ancient and laborious custom of memorizing and "overlearning" vocabulary and idioms.

[1] Basic Conversational French, Third Edition, Holt, Rinehart and Winston, New York, 1962; Teacher's Manual for the same, 1963; Intermediate Conversational French, Holt, Rinehart, and Winston, New York, 1960.

[2] Tapes for the revised edition of the Basic French Reader are available from the publisher, Holt, Rinehart, and Winston, 383 Madison Avenue, New York, 17, N. Y.

ACKNOWLEDGMENTS

First we would like to express our thanks to colleagues for their suggestions for improving the Reader. Their ideas both as to subject matter and presentation have added much to the value and interest of the new edition. We are also grateful to those who have raised questions about how to teach reading and who, by so doing, have called our attention to the fact that a systematic presentation of a method for teaching reading is needed. After devoting much time and thought to trying to describe "how we do it," we decided that the easiest way to show how we proceed would be to record a few lessons on tape. Then, once the sample tapes were made, they proved to be so effective when used by students in preparing reading assignments that we were able to conduct beginning classes at a slightly more advanced level and to bring students more quickly to the point where they could read intelligently in French. Finally, we would like to express our appreciation to colleagues both at Wisconsin and in other institutions who have tried out the tapes in classrooms or who have auditioned them; thanks to this kind of friendly collaboration and frank criticism, we think we have been able to develop a new tool that may be useful to others.

J. H. — A. L.

CONTENTS

Introduction v

1 Arrivée à Paris 1
2 Chez Mme Lange 6
3 Un Vieil Ami 10
4 Sur les grands boulevards 14
5 Dans le métro 18
6 Une Rencontre 22
7 Une Invitation 26
8 De la pluie et du beau temps 30
9 Aux Halles 34
10 Aux Halles 38
11 Les Marchands des quatre saisons 42
12 Le Tour de France 48
13 L'Industrie automobile 54
14 Noël en France 60
15 Circulation parisienne 68
16 Considérations sur l'éducation 72
17 Eaux minérales 80
18 Le Long de la Seine 86
19 Anniversaires 94

20 Rues de Paris 100
21 Un Sport inusité 108
22 Le Vieux Paris 114
23 Plan d'urbanisme 122
24 Conversation sur l'économie 128
25 Notre-Dame de Paris 134
26 Plaisirs et Distractions 142
27 Dans la cuisine 148
28 Son et Lumière 154

FABLES

La grenouille qui se veut faire aussi grosse que le bœuf 165
Le Corbeau et le Renard 166
Le Loup et le Chien 168
Le Loup et l'Agneau 172
La Mort et le Bûcheron 174
La Laitière et le Pot au lait 177

1 Arrivée à Paris

Le train transatlantique entre dans la gare Saint-Lazare à Paris. Il s'arrête. Un instant plus tard, les voyageurs commencent à descendre. Il est évident que la majorité des voyageurs sont Américains. Quelques personnes parlent français. Mais les Fran-
5 çais sont submergés dans la masse des touristes du Nouveau Monde.[1]

Voici une famille américaine: le père, la mère et leurs deux enfants. Voici un groupe de jeunes filles avec leur guide. Voici des scouts avec leur chef de troupe. Voici une jeune Française mariée à un Américain, qui arrive en France pour montrer son

[1] Du Nouveau Monde, *from the New World.* Many French people still think of the western hemisphere as the New World.

bébé à ses parents. Voici enfin un grand jeune homme qui a l'air[2] de venir tout droit d'une université américaine. C'est Bill Burgess. Après quatre ans dans un excellent collège en Amérique, il vient en France pour étudier à l'École des Beaux-Arts.[3]

[2] A l'air de venir, *looks as if he came* (lit.: *has the appearance of coming*).
[3] L'École des Beaux-Arts: the National School of Fine Arts (for students of architecture, painting, sculpture, and engraving).

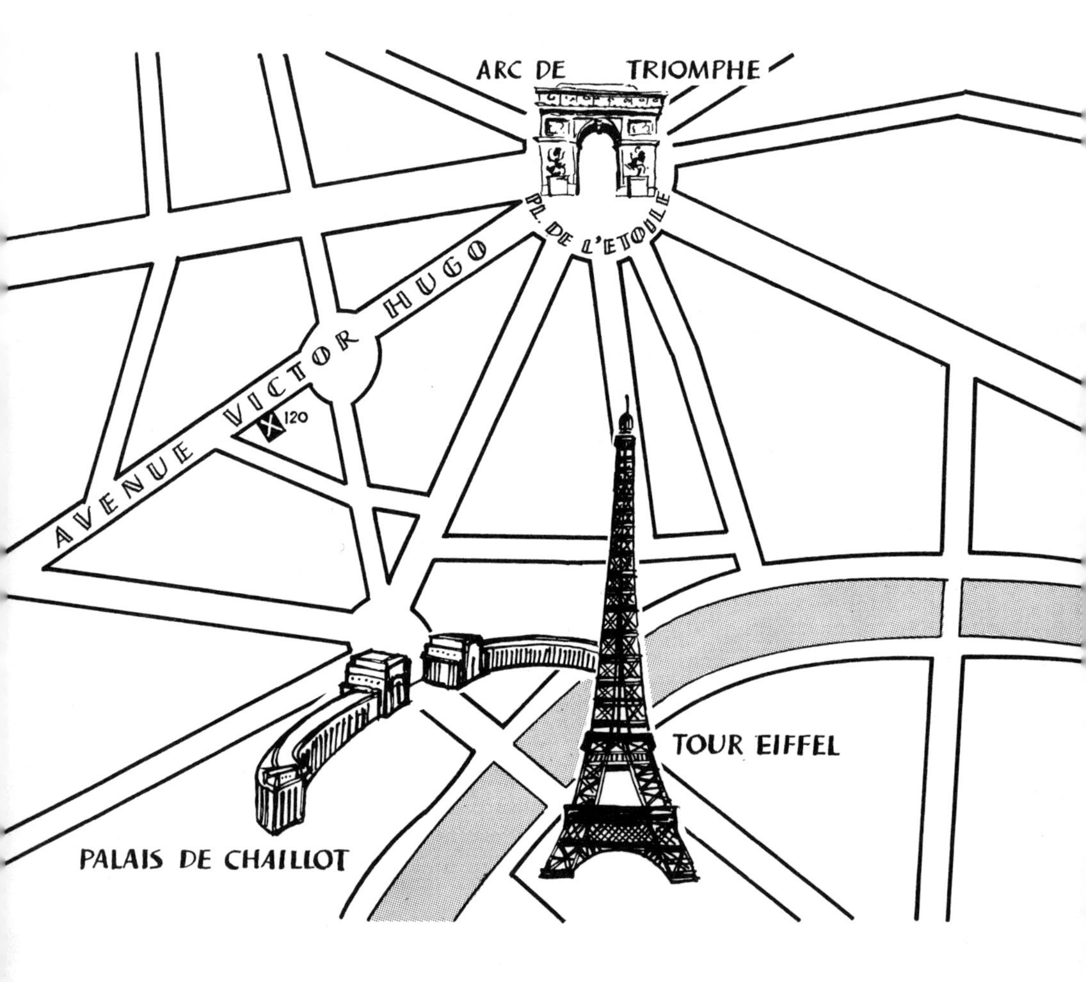

Bill sort de la gare

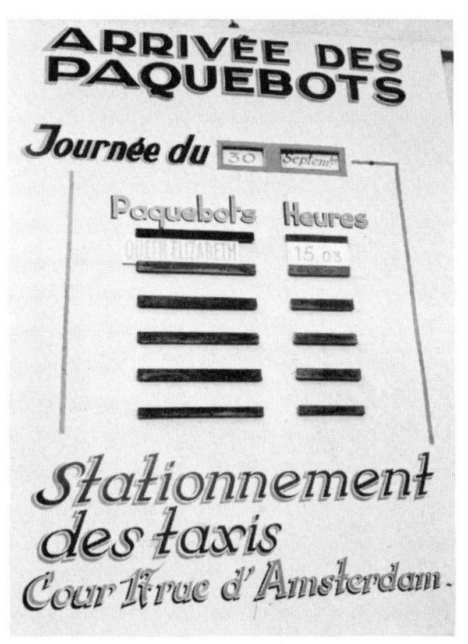

Tout de suite un taxi arrive

Bill sort de la gare avec ses deux valises. Tout de suite un taxi arrive et s'arrête en face de lui.

— *Where to, sir?* lui demande poliment le chauffeur de taxi.

Bill est un peu fâché. Il parle français assez bien et il a la ferme intention de parler français en France, même si les chauffeurs de taxi lui parlent anglais.

— 120 (Cent vingt), avenue Victor Hugo, répond Bill. Un peu pour prouver au chauffeur de taxi qu'il parle très bien français, il continue: «J'ai seulement ces deux valises.»

Le chauffeur place les deux valises dans le taxi. Bill monte dans la voiture.

— Quelle joie d'être enfin à Paris! pense-t-il.

Le taxi part tout de suite. Dans la rue Saint-Lazare il y a des autos, des autobus, des taxis, des bicyclettes, des scooters partout. Tous les chauffeurs de taxi semblent impatients: ils n'hésitent pas, même dans les situations les plus critiques. Cependant, Bill observe que son chauffeur de taxi est très habile, que la circulation parisienne n'a pas de secrets pour lui. Un peu rassuré, il regarde avec curiosité le spectacle des rues de Paris. Voici une large avenue plantée d'arbres, puis un monument que Bill reconnaît tout de suite: l'Arc de Triomphe. Quelques minutes plus tard, le taxi s'arrête. Bill descend et le chauffeur dépose ses bagages sur le trottoir.

— C'est combien? demande Bill.

— Trois francs cinquante, monsieur. J'espère que vous allez aimer notre capitale.

— Le chauffeur sait que je suis Américain, pense Bill. Et cependant il me parle français. Voilà l'essentiel.

Bill donne quatre francs au chauffeur de taxi, et, avec ses deux valises, il entre dans sa nouvelle habitation.

Il y a des autos, des autobus, des taxis partout

Il voit l'Arc de Triomphe

*Avec ses deux valises,
il entre dans sa nouvelle
habitation*

2
Chez Mme Lange

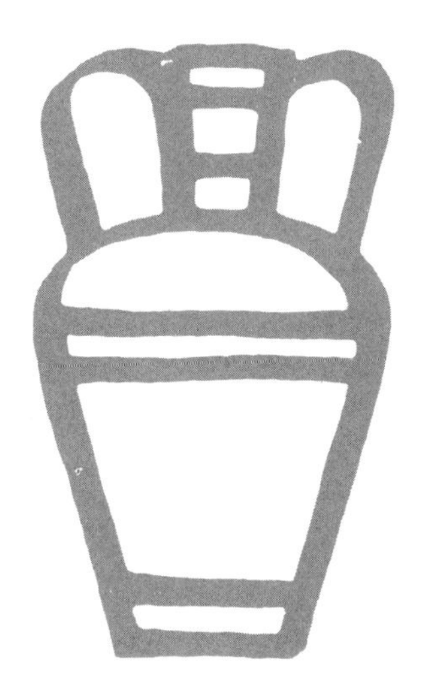

Voici la concierge, Mme Arnauld. C'est une personne d'un certain âge, qui marche difficilement. Elle a les cheveux gris et elle porte une robe noire. Comme beaucoup de concierges à Paris, elle a un petit appartement au rez-de-chaussée où elle habite 5 avec son mari et son chat.

— Bonjour, madame, lui dit Bill. Je suis Bill Burgess. J'ai une chambre chez Mme Lange.[1] Elle sait que j'arrive aujourd'hui.

— Vous êtes monsieur Burgess? Mme Lange vous attend. Son appartement est au quatrième étage. Voulez-vous monter? Voici 10 l'ascenseur.

— Très volontiers, répond Bill. Après mon long voyage, je suis content d'être enfin à Paris.

Bill prend ses valises, mais Mme Arnauld l'arrête. «Attendez, monsieur, dit-elle. Vous pouvez laisser vos bagages ici. Mon mari 15 va les monter[2] dans quelques minutes.»

Bill entre dans l'ascenseur. Il pousse le bouton marqué «Quatrième,» et l'ascenseur part lentement. «Les ascenseurs français sont

[1] Chez Mme Lange, *at the house* (or *apartment*) *of Mrs. Lange.* Notice that Madame is abbreviated thus: Mme or Mme. Monsieur is abbreviated: M.

[2] Monter, *to take (them) up.* Compare the intransitive use of the verb "monter," *to go up.*

Il voit des enfants qui jouent sur le trottoir.

moins rapides que les ascenseurs américains, pense Bill. Ce petit ascenseur ne monte pas très rapidement. Mais il monte, c'est l'essentiel.»

Arrivé au quatrième, Bill sort de l'ascenseur, trouve la porte de Mme Lange et sonne. Quelques instants plus tard Mme Lange ouvre la porte. Elle reçoit Bill très gentiment, lui pose des questions sur son voyage et lui montre une chambre magnifique.

— Voici votre chambre, monsieur, lui dit-elle. C'est la chambre de mon fils Pierre, qui est actuellement en Amérique. Du balcon, vous avez une belle vue sur l'avenue.

Bill est très favorablement impressionné. Il sort sur le balcon et admire la belle perspective de l'avenue. A quelque distance à droite, il voit l'Arc de Triomphe. Ensuite Mme Lange lui montre le salon, la salle à manger, la salle de bains, la cuisine et le cabinet de travail de son mari, qui est professeur au Lycée Janson-de-Sailly.[3] A ce moment, M. Arnauld arrive avec les bagages de Bill. Il les place dans la chambre à coucher, à côté du lit. Bill le remercie.

Quand Mme Lange et M. Arnauld le quittent, Bill examine sa chambre avec ses beaux meubles anciens, et il sort de nouveau sur le balcon. Il voit des enfants qui jouent sur le trottoir, des concierges qui bavardent devant leur porte, deux agents de police. Il entend un vendeur de journaux qui crie «Paris-Presse,» «France-Soir» . . .

[3] Le Lycée Janson-de-Sailly: one of the best-known lycées (secondary schools) in Paris.

Il décide d'ouvrir ses valises et de ranger ses affaires avant d'aller dîner. «Je ne sais pas où je vais dîner, se dit-il. Je vais demander à la concierge s'il y a un bon restaurant près d'ici. A Paris, il n'est sans doute pas nécessaire d'aller très loin . . .»

Un vendeur de journaux

L'auto de Jack

3
Un Vieil Ami

A cinq heures et demie, on sonne à la porte de l'appartement de Mme Lange. Mme Lange va ouvrir de nouveau et trouve un jeune homme qui porte un béret, mais qui a l'air d'être Américain.

— Bonjour, madame, dit le jeune homme en enlevant son béret. La concierge me dit que mon ami Bill Burgess est ici. Est-ce que je peux le voir?

— Certainement, monsieur. Il est dans sa chambre. Il est sans doute en train de[1] ranger ses affaires. Venez par ici, s'il vous plaît. Voilà sa porte.

Jack frappe. Bill reconnaît la façon de frapper de Jack Stevens.

— Entrez, mon vieux, dit-il en lui tendant la main. Quelle agréable surprise! Comment ça va? Entrez donc.

— Je m'excuse d'arriver si tard, répond Jack. Je ne suis pas

[1] En train de, *busy* (lit.: *in the act of*; always used with an infinitive. Ex.: En train de déjeuner, faire une promenade, etc.).

libre aujourd'hui avant cinq heures. Impossible par conséquent d'être à la gare au moment de l'arrivée du train transatlantique. Mais quelle belle chambre! Vous avez de la chance.

Bill lui montre son balcon et la vue sur l'avenue. Ensuite les deux amis parlent longuement de leur vie passée et présente, de leurs parents, de leurs amis communs. Bill donne ses impressions sur son voyage et son arrivée à Paris. Jack connaît déjà bien la ville. C'est sa deuxième année à l'Institut d'Études Politiques.

— Allons dîner ensemble, propose Jack. Je connais un petit restaurant où les prix ne sont pas excessifs et où la cuisine est excellente. C'est assez loin d'ici, mais j'ai ma voiture. D'ailleurs, à Paris on ne dîne jamais avant sept heures ou sept heures et demie.

L'auto de Jack est une petite Renault, qu'il conduit avec toute l'audace d'un chauffeur de taxi.

— Mais dites donc, Jack, dit Bill, il me semble que vous allez beaucoup trop vite.

— Oh! répond Jack, quand on est à Paris, il faut faire comme les Parisiens.

Nos deux amis descendent une magnifique avenue, traversent la Seine[2] et bientôt ils arrivent à leur destination.

— Dînons sur la terrasse, suggère Jack. Il y a encore des tables libres. J'aime bien dîner dehors quand il fait chaud.

Un garçon arrive et leur présente la carte. Bill la regarde. La liste des plats est si longue et leur variété si grande qu'il ne sait pas où commencer. Jack vient à son aide et il lui dit ironiquement:

[2] La Seine, *the river Seine*, which traverses Paris dividing it into the Right Bank (north of the river) and the Left Bank, called "la rive droite" and "la rive gauche."

— Commencez par les hors-d'œuvre et finissez par le dessert.

— Quelle espèce de vin voulez-vous, monsieur? demande le garçon.

Bill regarde la carte des vins, et sa perplexité recommence. De nouveau, Jack vient à son aide. «Apportez-nous une bouteille de chablis,»[3] dit-il au garçon.

[3] Une bouteille de chablis, *a bottle of Chablis*. Chablis is a dry white wine from Burgundy. In French it is written with a small letter: du chablis, du bordeaux, du champagne, etc.

*Je connais un petit restaurant
où les prix ne sont pas excessifs*

Après les hors-d'œuvre nombreux et variés, Bill a l'impression d'avoir presque fini son dîner. Mais il continue bravement, et triomphe successivement d'une entrée, d'un légume et d'un dessert.

— Ce dîner est délicieux, dit-il à Jack en finissant son café. Mais si je dîne comme ça tous les jours, je ne vais pas beaucoup étudier les beaux-arts.

— En France, la cuisine est vraiment un art, répond Jack. Elle mérite presque d'être considérée comme un des beaux-arts; et c'est une étude très agréable.

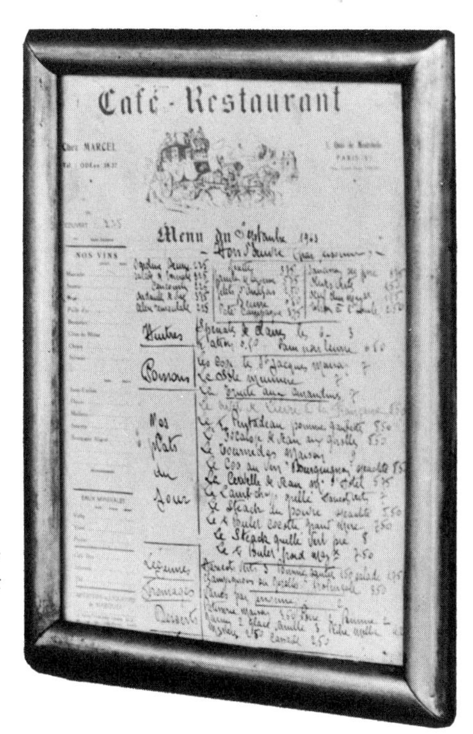

Commencez par les hors-d'œuvre et finissez par le dessert

En partant du restaurant, Jack demande à Bill s'il veut faire une promenade sur les grands boulevards.[4] «La vie des boulevards est toujours amusante,» dit-il.

— Volontiers, répond Bill. Après ce dîner, c'est une bonne idée de marcher un peu.

[4] Les grands boulevards: a wide street in the heart of the shopping district. It changes its name every few blocks.

4 *Sur les grands*

Bill et Jack se promènent sur le Boulevard des Italiens. Il est dix heures du soir, la soirée est belle et il y a beaucoup de gens venus[1] faire une promenade après dîner. Bill est surpris du caractère cosmopolite de la foule. On voit tous les types physiques, on entend parler toutes les langues. Bill observe qu'il est souvent facile de reconnaître les différentes nationalités: les Anglais, les Scandinaves, les Allemands, les Espagnols, sans compter naturellement les Américains.

— Mais où sont les Français? demande-t-il à Jack.

— N'exagérez pas, répond Jack. Il y a encore des Français ici. Cependant, nous sommes au mois d'août, et comme le mois d'août

[1] Venus: past participle of "venir." The past participle is often used in French where we would use a relative clause. We would say: people who have come . . .

Je remarque qu'un grand nombre d'hommes ne portent pas de chapeau

boulevards

est d'ordinaire le mois le plus chaud de l'année, beaucoup de Parisiens quittent Paris pour passer leurs vacances en province. En été, Paris appartient aux touristes, ou presque . . .

— Tiens! dit Bill, en regardant un groupe de jeunes gens et de 5 jeunes filles qui passent, les jeunes Françaises ne sont pas très différentes des Américaines. Apparemment, les modes sont les mêmes ici qu'aux États-Unis. Mais pourquoi tant de personnes âgées portent-elles des couleurs sombres? Presque toutes les femmes qui ont dépassé la cinquantaine[2] sont habillées en noir.

10 — Je ne sais pas pourquoi, répond Jack. C'est une tradition, je suppose. D'ailleurs beaucoup de jeunes femmes trouvent que le noir est très chic.

[2] Qui ont dépassé la cinquantaine (lit. *who have passed their fiftieth year*). We would just say: past fifty.

Il y a beaucoup de monde
à la terrasse des cafés

— Et je remarque qu'un grand nombre d'hommes ne portent pas de chapeau.

— Vous êtes un merveilleux observateur, Bill. Les Parisiens portent un chapeau en hiver, mais en été, beaucoup considèrent que c'est un ornement superflu.

La foule est riche en contrastes. A côté de gens à l'apparence prospère, on voit aussi de pauvres diables, pour qui la vie est manifestement difficile. Il y a beaucoup de monde à la terrasse des cafés.

— Est-ce que cette animation continue toute la nuit? demande Bill.

— Non, répond Jack. Elle commence à diminuer vers minuit. Beaucoup de touristes vont s'amuser dans les cabarets et dans les dancing de Montmartre.[3] Mais les grands boulevards sont à peu près déserts à une heure du matin. «Pas un chat dans les rues,» comme disent les Français. Plus exactement, on voit seulement quelques chats dans les rues . . . et quelques agents de police. La vie

[3] Montmartre: center of night life in Paris, north of the shopping center.

recommence vers sept heures du matin, quand les gens vont à leur travail.

Nos deux amis arrivent sur la Place de l'Opéra.[4]

— Cet Opéra est un monument très gracieux, explique Jack. Malheureusement, il n'y a pas de représentations en ce moment. Comme presque tous les théâtres parisiens, l'Opéra est fermé pendant quelques semaines en été. Les représentations ne recommencent pas avant le mois de septembre.

— Mais pourquoi fermer en été quand tous les touristes sont à Paris? demande Bill.

— Les acteurs et les musiciens ont besoin de vacances comme tout le monde, répond Jack . . . Mais je remarque qu'il est onze heures passées. Il est l'heure de rentrer, ne croyez-vous pas? Après votre long voyage, vous avez sans doute besoin de repos.

— Oui, dit Bill. Cette promenade est extrêmement agréable; mais à vrai dire, je commence à être un peu fatigué . . .

[4] L'Opéra: the great opera house which dominates the Place de l'Opéra and the Grands Boulevards. Opened in 1875, this highly ornate building was designed by the architect Charles Garnier and was decorated by some of the best artists of the period.

Une représentation de gala à l'Opéra

5

Dans le métro

Bill et Jack descendent dans la station de métro[1] de l'Opéra. Au guichet, Jack achète deux billets de première classe.

— Vous savez sans doute qu'il y a deux classes dans le métro, explique-t-il à Bill; et comme il y a beaucoup de gens qui rentrent chez eux à cette heure-ci, je crois qu'il est plus prudent d'aller en première.

Les jeunes gens suivent une galerie et arrivent sur le quai.

— Le métro parisien est vraiment très bien, dit Bill. Tout est moderne, propre et clair. Est-ce qu'il est difficile de trouver sa route?

[1] Le Métro, *the subway.* The full name of the system is "Le Métropolitain."

— Pas du tout, répond Jack. Regardez cette carte. Vous voyez que les lignes du métro traversent Paris dans tous les sens.

— Mais comment change-t-on de ligne?

— Vous voyez là-bas l'entrée de cette galerie, avec l'indication:

CORRESPONDANCE
Pt de Levallois — Pte des Lilas.[2]

Cela signifie que cette galerie vous conduit à la ligne qui va du Pont de Levallois à la Porte des Lilas. Élémentaire, mon cher Bill.

— Est-ce qu'on peut se procurer une petite carte du métro? Je ne connais pas du tout Paris, vous savez.

— Mais oui. On les trouve chez tous les libraires. Mais voici un train qui arrive. Dépêchons-nous. Il ne s'arrête que quelques secondes.

Nos deux amis montent. Les portes automatiques se ferment. Le train part et, très rapidement, il atteint toute sa vitesse.

— Heureusement que nous sommes en première, dit Bill. Il y a foule en seconde classe, et, après notre longue promenade, je suis content d'être assis.

Les stations se succèdent et, à intervalles réguliers, leurs lumières interrompent la monotonie du voyage souterrain. Il est presque minuit. Le visage de beaucoup de voyageurs révèle la fatigue d'une journée de travail.

[2] Le Pont de Levallois, *the Bridge of Levallois,* in the northwestern part of the city.
La Porte des Lilas, *the Gate of the Lilacs,* one of the gates on the east side of the city. The walls and gates of the city have long since been torn down, but the places where the gates used to be are still called *gates:* Porte d'Orléans, Porte de Versailles, etc.

A cette heure-ci, il est plus prudent d'aller en première

— On croit souvent que Paris est une ville où l'on s'amuse,[3] dit Jack — "Gay Paris", les cabarets, et cætera. Mais pour l'immense majorité des Parisiens, la vie parisienne est une vie de travail, souvent monotone. Les fameuses Folies-Bergère sont surtout pour les touristes. En été, le grand plaisir des Parisiens, c'est sans doute de passer 5 une journée de repos à la campagne.

— Je comprends ça; je suis épuisé, même après ma première journée à Paris. Quand arrivons-nous?

[3] Où l'on s'amuse, *where people have a good time.* Note that after "où" or "si" you usually say "l'on" instead of "on."

Les lignes du métro
traversent Paris dans tous les sens

— Nous descendons au prochain arrêt. Réveillez-vous.

Sortis du métro, Bill et Jack retournent à leur auto qu'ils ont laissée près du restaurant où ils ont dîné. Ils quittent le Quartier Latin, traversent la Seine, montent l'avenue des Champs-Élysées. A minuit et demi, ils se quittent devant l'appartement de l'avenue Victor Hugo.

Vous voyez là-bas l'entrée de cette galerie, avec l'indication "Correspondance"?

6
Une Rencontre

Quelques semaines passent. L'automne arrive. Il fait encore beau, mais depuis quelque temps les journées, et surtout les nuits, sont plus fraîches. C'est bientôt la saison des pluies et de la rentrée des classes.[1]

5 Bill se promène souvent dans le Quartier Latin, qui est depuis longtemps[2] le quartier des écoles parisiennes. Dans les rues voisines[3] de l'Université, il y a beaucoup de libraires. Les gens qui passent s'arrêtent pour examiner un vieux livre, ou un livre récent couvert en papier jaune[4] avec l'indication: *Vient de paraître.*[5]

10 Un jour, Bill tourne les pages d'un volume sur l'architecture moderne, quand tout à coup il entend une jeune voix féminine, évidemment américaine, l'appeler par son nom. Surpris, il se retourne:

— Ann Tilden! s'écrie-t-il. Qu'est-ce que vous faites ici?

15 — J'étudie le français, et je vais passer l'année à la Sorbonne,[6] avec une bourse Fulbright. Et vous, Bill?

— Je suis à l'École des Beaux-Arts, dans la section d'architecture. Mais, dites-moi, qu'est-ce que vous faites depuis votre départ de Philadelphie?

20 — Mes parents habitent maintenant à Los Angeles. Je suis étudiante à U.C.L.A. Quelle chance de nous rencontrer à Paris! Le monde est vraiment bien petit. Imaginez: vous venez de Philadelphie, je viens de Los Angeles, et nous nous rencontrons par hasard ici . . .

[1] La rentrée des classes, *the opening of school.*

[2] Est depuis longtemps, *has been for a long time.* Note that when the present tense of a verb is used with "depuis" it has the same meaning as our present perfect tense.

[3] Rues voisines, *streets near the university* (lit.: *neighboring*).

[4] Couvert en papier jaune, *with a yellow paper cover* (lit.: *covered in yellow paper*).

[5] Vient de paraître, *just published, just out* (lit.: *has just appeared*).

[6] La Sorbonne: the buildings of the University of Paris in which the Faculties of Letters and Sciences are housed.

Le Jardin avec son vieux palais aux murs gris est presque désert

Au Jardin du Luxembourg

Ann ne sait pas que ces rencontres inattendues ne sont pas rares. Beaucoup de touristes ont la surprise de retrouver par hasard des gens qu'ils connaissent. Ce n'est pas que le monde est petit. C'est que les touristes visitent les mêmes endroits.

Bill et Ann montent le boulevard et entrent dans le Jardin du Luxembourg,[7] tout décoré des riches couleurs de l'automne. Il est dix heures du matin, et le Jardin, avec son vieux palais aux murs gris, est presque désert. Il y a seulement quelques vieux messieurs qui lisent leur journal et quelques mères avec leurs enfants qui jouent au soleil.

— Vous rappelez-vous nos années d'école à Philadelphie? demande Bill.

— On dit que ce sont[8] les meilleures années de la vie, répond

[7] Le Jardin du Luxembourg, *the garden of the Luxembourg palace,* one of the handsome public parks of Paris.
[8] Ce sont, *they are.* ("Ce sont" is the plural of "c'est.")

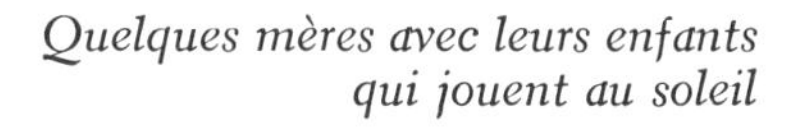

Quelques mères avec leurs enfants qui jouent au soleil

Ann. Cependant, la vie d'un étudiant à Paris est très agréable.

Les deux jeunes gens parlent de l'avenir. Bill explique ses projets. Au mois de juillet prochain, il va retourner aux États-Unis pour travailler chez son oncle, qui est architecte à New York. Ann va continuer ses études en Californie.

— Est-ce que vous ne vous sentez pas quelquefois un peu seule, si loin de votre famille? demande Bill.

— Non, répond Ann. Évidemment, j'aime beaucoup mes parents, mais je me dis que notre séparation est temporaire. Il y a tant de choses à voir et à faire ici que je n'ai pas le temps de me sentir seule. D'ailleurs, je connais très bien une famille française, qui m'a presque adoptée. Le père, M. Brégand, est ingénieur aux usines Renault; Jacqueline, sa fille, a dix-neuf ans, et son fils Raymond, qui a vingt et un ans, fait son service militaire à Versailles. Ce sont des gens charmants. Voulez-vous faire leur connaissance?

— Volontiers.

— Eh bien, je vais leur demander de vous inviter un de ces jours.

7
Une Invitation

C'est aujourd'hui dimanche. Ann et Bill sont invités à passer la journée chez les Brégand, qui habitent à Neuilly[1] près du Bois de Boulogne.[2] A midi moins dix, Ann vient en taxi chercher Bill, dont l'appartement n'est pas très loin de la maison des Brégand.

— Vous êtes juste à l'heure, lui dit-il. Vous êtes admirable, exceptionnelle, Ann, puisqu'on dit que l'exactitude n'est pas une vertu féminine.

— Je n'ai pas le choix, répond modestement Ann. Nous ne pouvons pas être en retard.

Quelques minutes plus tard, le taxi les dépose devant l'habitation des Brégand. C'est une belle maison à deux étages,[3] située au fond d'un jardin[4] fermé par une haute grille en fer.

— Les Français sont de grands individualistes, explique Ann. Ils entourent volontiers[5] leurs maisons de murs et font tout leur possible pour s'isoler. Ils sont cependant très hospitaliers, quand on les connaît.

[1] Neuilly: a pleasant residential section of Paris, near the famous Bois de Boulogne.
[2] Le Bois de Boulogne: a large park on the west side of the city.
[3] A deux étages, *three stories high*. The French do not count the ground floor, *le rez-de-chaussée*, as a story.
[4] Au fond d'un jardin, *well back from the street* (lit.: *at the back of a garden*).
[5] Ils entourent volontiers, *they like to enclose* (lit.: *they surround willingly*).

C'est une belle maison au fond d'un jardin fermé par une grille de fer

Ann sonne à la porte de la grille. La porte s'ouvre automatiquement. Ils entrent et traversent la cour.[6] M. Brégand sort de la maison et vient à leur rencontre. C'est un homme d'une cinquantaine d'années, grand et distingué, avec une courte moustache grise.
5 Ann fait les présentations:

— M. Brégand, permettez-moi de vous présenter Bill Burgess. C'est un ancien camarade d'école. Il habite à Philadelphie.

[6] La cour, *the yard.* "La cour" often means a *tiny court* but it may mean a *large yard.*

Au salon

— Enchanté, répond M. Brégand. Je suis content de vous avoir ici. Entrez donc. Ma femme et ma fille sont au salon. Mon fils n'est malheureusement pas libre aujourd'hui.

Au salon, Bill fait la connaissance de Mme Brégand et de Jacqueline, jolie jeune fille brune qui, comme Ann, est étudiante à la Faculté des Lettres.

— Je connais un peu votre ville natale, dit M. Brégand à Bill, ou plutôt je sais qu'elle existe. J'y suis allé il y a quelques années, au cours d'un de mes voyages d'affaires aux États-Unis. J'avoue que de Philadelphie, de Chicago, de Detroit, je me souviens surtout des usines, des machines — et aussi de l'hospitalité de mes amis américains.

— Si vous avez l'occasion de retourner en Amérique, répond Bill, j'espère bien que vous allez venir nous voir à Philadelphie. Il y a autre chose aux États-Unis que des usines et des machines, vous savez.

— Depuis mon enfance, je désire visiter le Far-West, voir des Peaux-Rouges et des cow-boys, dit en souriant M. Brégand.

— Il y a toujours[7] des Peaux-Rouges et des cow-boys, répond Bill. Mais, maintenant, ils sont motorisés . . .

Après le déjeuner à la française[8] — c'est-à-dire composé d'une

[7] Toujours, *still.* The word usually means *always.*
[8] A la française, *French style.*

série de plats, chacun accompagné d'un vin différent, les Brégand et leurs invités reviennent au salon prendre le café. Au cours de la conversation, Bill pose quelques questions sur la situation des usines Renault, où l'on fabrique des automobiles très populaires en France
5 et à l'étranger.

— Notre production est bonne, déclare M. Brégand. Si la question vous intéresse, je vais un jour vous expliquer tout cela.

Vers trois heures de l'après-midi, Raymond arrive, à la surprise générale. Il porte un uniforme kaki orné des galons de caporal.
10 Les présentations faites,[9] il explique sa présence.

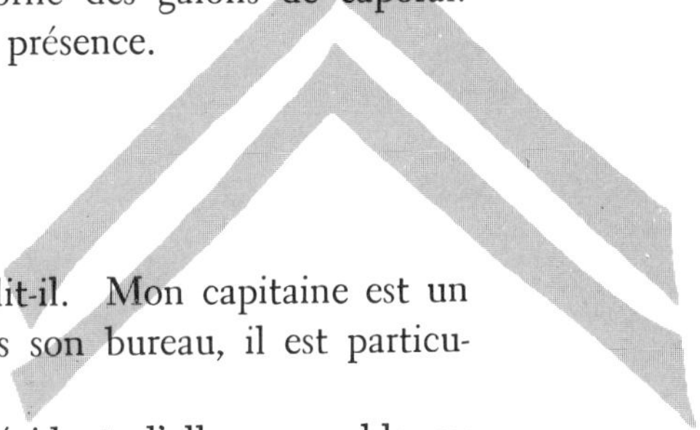

— J'ai une permission de minuit, dit-il. Mon capitaine est un chic type,[10] et comme je travaille dans son bureau, il est particulièrement gentil pour moi.

Le soir, les quatre jeunes gens décident d'aller ensemble au
15 cinéma.

[9] Les présentations faites, *after being introduced* (lit.: *the introductions having been made*). This "absolute" construction is frequent in French.

[10] Un chic type, *a "good guy."* This is a slightly slangy expression for "un excellent homme."

L'automne à Paris

8
De la pluie et du beau temps[1]

A la sortie du cinéma, où ils ont passé la soirée ensemble, Ann, Jacqueline, Bill et Raymond marchent sous une petite pluie fine et persistante. Les lumières des rues se reflètent sur la foule des parapluies ouverts.

— Quel temps! Depuis deux jours, il pleut sans arrêt, déclare Raymond.

— En cette saison, le climat de Paris a l'air de ressembler beaucoup au climat de la Californie, dit Bill en regardant malicieusement Ann.

— En Californie, il fait toujours beau, Ann répond avec bonne humeur. Il n'y a que les gens de la Floride qui disent le contraire.

— Nous sommes au début de novembre, explique Raymond. A partir de la Toussaint,[2] il pleut assez souvent et les brouillards sont fréquents. Paris n'est pas très loin de la mer, vous voyez. Les géographes disent que nous avons un climat tempéré, c'est-à-dire qu'il ne fait ni trop chaud ni trop froid. Mais, en ce qui concerne[3] l'humidité, notre climat est quelquefois intempéré ... Croyez-moi, à Paris, pendant l'hiver, il est toujours prudent d'avoir un imperméable, et, pour plus de sûreté, un parapluie.

[1] De la pluie et du beau temps, *about the weather* (lit.: *about rain and fine weather*).
[2] La Toussaint, *All Saints' Day (November 1st)*.
[3] En ce qui concerne, *as for*. Compare English: "as far as . . . is concerned."

— Est-ce qu'il neige beaucoup? demande Ann.

— Non, deux ou trois fois pendant l'hiver. D'habitude, la neige ne dure pas longtemps, juste assez pour être désagréable.

— C'est dommage, dit Ann, car j'aime beaucoup les sports d'hiver.

— Alors, venez avec moi à Chamonix, dit Jacqueline. J'y vais tous les ans faire du ski.

— Je n'aime pas la neige et la glace, dit Bill.

— Eh bien, répond Raymond, quand vous avez froid, descendez à Cannes ou à Nice. Vous pouvez nager dans les flots bleus de la Méditerranée, en compagnie de jolies baigneuses. La France vous offre toute sorte de facilités . . .

— Est-ce que l'hiver dure longtemps ici? demande Ann.

— A peu près trois mois, dit Raymond. Nous avons des saisons assez bien marquées, qui correspondent aux saisons du calendrier: le printemps, de mars à mai; l'été, de juin à août; l'automne, de septembre à novembre; et l'hiver, de décembre à février. En été, il fait beau, avec quelques pluies; en automne, c'est la même chose, excepté qu'il pleut davantage; en hiver, le ciel est gris et il pleut beaucoup, mais il ne fait pas trop froid; au printemps, le temps est «variable,» comme dit le baromètre. Pourtant, le printemps à Paris est d'habitude une saison délicieuse.[4] Les premiers signes apparaissent dès le mois de mars. Il fait encore frais, mais, après les longs mois d'hiver, c'est un plaisir de voir les premières feuilles et d'entendre les oiseaux... A propos, avez-vous des vêtements chauds pour l'hiver?

— Oui, pourquoi?

— Parce que, quand on n'est pas habitué au climat parisien, on peut très facilement avoir froid ici. Même s'il ne fait pas très froid, le temps est souvent humide, et nos maisons sont moins bien chauffées qu'en Amérique.

— Voyons, Raymond, dit Jacqueline, Ann et Bill savent bien qu'il fait froid en hiver. D'ailleurs ils ont l'air d'être en bonne santé tous les deux. Ils ne vont pas souffrir excessivement dans un climat aussi doux que le nôtre.

Ann et Bill accompagnent Jacqueline et Raymond jusqu'à l'entrée de la maison des Brégand. Là, les amis se séparent, en promettant de se revoir bientôt.

[4] Délicieuse, *delightful*. In French the word may be applied to things other than food and drink.

C'est un plaisir de voir les premières feuilles et d'entendre les oiseaux

9

Aux Halles[1]

Demain matin de bonne heure, allons faire un tour aux Halles, propose un soir Jack à Bill.

— Qu'est-ce que c'est que ça? demande Bill. Un monument historique? Pourquoi y aller de bonne heure?

— Mais non, répond Jack, vous n'y êtes pas du tout.[2] Les Halles sont le grand marché d'alimentation de Paris. C'est un bon endroit pour observer quelques aspects curieux, et souvent amusants, de la vie quotidienne de la capitale. C'est peut-être le seul endroit de Paris où la vie ne s'arrête ni le jour ni la nuit, et cela l'hiver comme l'été, car il faut manger en toute saison, n'est-ce pas?

— Est-ce que c'est quelque chose comme le Marché français de La Nouvelle-Orléans?[3]

[1] Aux Halles, *At the Central Market.* As the "h" is aspirate, avoid linking.
[2] Vous n'y êtes pas du tout, *that isn't it at all* (lit.: *you are not there . . .*).
[3] La Nouvelle-Orléans, *New Orleans.*

— Oui, quelque chose comme ça, mais infiniment plus vaste. Au fond, le Marché français de La Nouvelle-Orléans est surtout une curiosité historique, une relique du passé, tandis que les Halles conservent toute leur importance économique. C'est toujours, selon l'expression de Zola,[4] «le ventre de Paris.»

— Est-ce que ces Halles existent depuis longtemps?

— Le marché existe depuis le moyen âge,[5] mais les bâtiments des Halles actuelles sont relativement récents. N'oubliez pas que, pendant des siècles, la Seine a été le moyen le plus sûr et le plus rapide d'approvisionner Paris en objets périssables. Le commerce de la viande, du poisson, des légumes, des fleurs s'est donc développé dans le voisinage du fleuve, dans la partie centrale et la plus ancienne de la ville. Même si, de nos jours, les nouveaux moyens de transport favorisent la dispersion du commerce, la tradition d'un marché central s'est conservée.

Des paniers de légumes et de fruits

— Si je vous comprends bien, conclut Bill, les Halles sont l'ancien Super-Market de Paris . . .

— Oui, plus ou moins, répond Jack avec un sourire. Mais maintenant on parle de les remplacer par un Super-Market moderne en dehors de la ville. Dépêchons-nous donc de voir les Halles pendant qu'elles existent encore.

Le lendemain, vers six heures du matin, Jack et Bill arrivent dans le quartier des Halles. Toutes les rues voisines du marché sont

[4] Zola: well-known novelist of the 19th century.
[5] Le moyen âge, *the Middle Ages.*

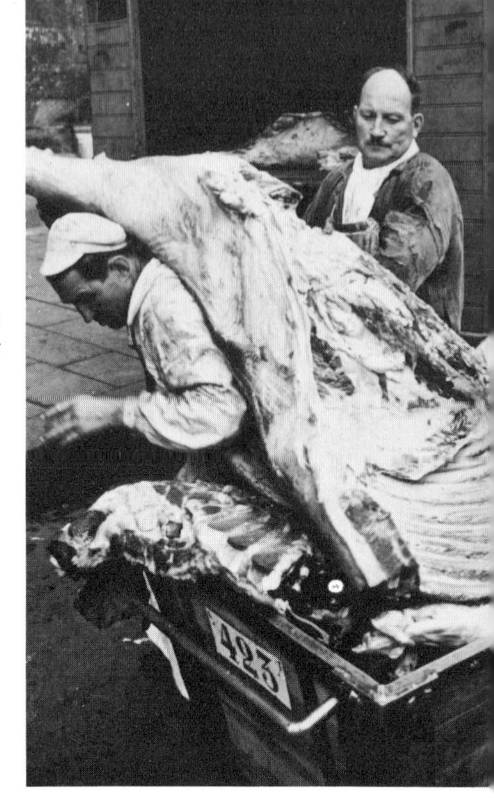

On appelle ces gens-là les forts des Halles

encombrées de voitures, de camionnettes, de camions chargés de légumes et de fruits. Des hommes sont en train de prendre des paniers de légumes et de fruits et de les déposer sur le trottoir.

— On appelle ces gens-là les *forts des Halles,*[6] explique Jack, parce que l'habitude de porter de lourdes charges a considérablement développé leurs muscles.

— Mais d'où viennent tous ces produits? demande Bill.

— D'un peu partout,[7] répond Jack. Cela dépend de la saison. En été, les légumes frais arrivent surtout de la banlieue parisienne. N'avez-vous pas remarqué, en arrivant par le train, que la région autour de Paris est couverte de jardins potagers?

— Oui, répond Bill. J'ai même trouvé ces jardins fort agréables, avec les murs de pierre qui les entourent et les jolies petites maisons.

— La Normandie et surtout la Bretagne envoient aussi beaucoup de légumes à Paris, continue Jack. En hiver et au printemps, les légumes et les fruits viennent surtout du Midi[8] et de l'Afrique

[6] Les forts des Halles, *the strong men of the Halles.*
[7] D'un peu partout, *from just about everywhere.*
[8] Le Midi, *the South of France.*

du Nord, où le climat est plus doux. Le poisson de mer arrive des ports de l'Atlantique, de la Manche[9] et de la Mer du Nord; la viande, de toutes les parties de la France, particulièrement de la région de l'Ouest et du Centre. Bref, vous trouvez ici des produits de presque 5 toutes les régions de la France métropolitaine[10] et de la Communauté française.[11]

[9] La Manche, *the English Channel.*
[10] La France métropolitaine, *continental France.*
[11] La Communauté française, *the French community.* Made up of France and most of her former colonies in Africa, its function is to discuss problems that exist between members.

Le poisson de mer arrive des ports de l'Atlantique

10 *Aux Halles*

(suite et fin)[1]

Une boucherie parisienne

Tandis que le marché des légumes est en plein air, la viande et le poisson se vendent à l'intérieur de grands bâtiments construits en fer et ouverts de tous les côtés. Bill et Jack entrent dans un de ces bâtiments, où se presse une foule considérable.

— Beaucoup de gens préfèrent s'approvisionner ici, explique Jack, car les prix sont d'ordinaire moins élevés que dans les magasins. Le matin, de très bonne heure, arrivent les acheteurs des restaurants et des hôtels. Plus tard, au cours de la matinée, arrivent des bonnes, des ménagères qui viennent faire les provisions pour la journée. Suivant les besoins, on peut acheter aux Halles deux cents kilos[2] de bœuf ou deux côtelettes de porc.

Nos deux amis vont d'un étalage à l'autre, regardant des poissons inconnus,[3] des crabes, des homards.

— Les marchandes[4] des Halles, particulièrement les vendeuses de poisson sont fameuses pour la vivacité de leur caractère et pour la crudité de leur langage, continue Jack. Aussi longtemps qu'a duré l'ancienne monarchie,[5] elles ont eu le privilège étrange d'être reçues[6] par le roi de France en personne. Elles ont joué ainsi un certain rôle historique, notamment au cours de la Révolution française.[7]

Bill s'arrête devant un énorme animal, suspendu par les pattes, et qui ressemble à la fois à un bison et à un porc.

— Qu'est-ce que c'est que ça? demande-t-il.

— Un sanglier, répond Jack.

— J'ai entendu parler des sangliers, dit Bill, mais c'est la première fois que j'ai l'occasion d'en voir un.

— Il y en a pas mal en Europe, surtout dans les régions des forêts. En automne et en hiver, on en voit assez souvent sur les marchés parisiens.

[1] Suite et fin, *continued and concluded* (lit.: *continuation and end*).
[2] A kilo or kilogramme is slightly over two pounds.
[3] Inconnus, *that they do not recognize* (lit.: *unknown*).
[4] Les marchandes, *the women who run stalls.*
[5] L'ancienne monarchie, *the old monarchy.*
[6] D'être reçues, *of being received by,* or *being admitted to the presence of.*
[7] La Révolution française, *the French Revolution,* 1789–99. The women of Les Halles led the mob to Versailles on Oct. 5th, 1789 to bring the royal family to Paris.

Vers la fin de la matinée,[8] la foule des acheteurs commence à diminuer et les étalages à disparaître.

— L'après-midi, le quartier des Halles est relativement calme, explique Jack. On nettoie l'intérieur des bâtiments et les rues voisines. Puis tout recommence la nuit suivante, quand arrivent les provisions du lendemain . . .

— Dites donc, Jack, dit Bill, en regardant les étalages de bœuf. Vous n'avez pas faim? En voyant tant de choses à manger, je commence à avoir horriblement faim.

[8] La matinée, *the morning*. Not to be confused with English word *matinée*. "La matinée," "la journée," "la soirée" suggest the whole morning, the whole day, the entire evening, as opposed to "le matin," "le jour," "le soir"—which usually mean "in the morning," "in the daytime," and "in the evening."

Service de nettoyage près des Halles

L'après-midi, le quartier des Halles est relativement calme

— Si vous voulez, répond Jack, nous irons déjeuner dans un des petits restaurants du quartier. L'extérieur n'est pas somptueux, mais la cuisine est presque toujours excellente. Leur clientèle est exigeante. Les gens qui vendent leurs produits aux Halles sont des connaisseurs.

— Oui, je sais, dit Bill. Les apparences sont souvent trompeuses et je connais le proverbe: «L'habit ne fait pas le moine.»[9]

[9] L'habit ne fait pas le moine, *clothes do not make a monk,* that is, "you can't judge a man by the clothes he wears." Compare: "Fine feathers do not make a bird."

Ils vendent les légumes ou les fruits de la saison

Ce qui m'étonne toujours, dit Bill à Ann un jour qu'ils se promènent ensemble, c'est le nombre considérable des marchands de toute espèce qu'on trouve dans les rues de Paris. Je ne parle pas bien entendu des magasins, mais des vendeurs de la rue. Une bonne partie du commerce parisien a l'air de se faire autour de petites voitures,[2] le long des trottoirs.

— C'est ce qu'on appelle les marchands des quatre saisons, explique Ann. Jacqueline m'a parlé d'eux. Elle m'a expliqué qu'ils achètent en gros aux Halles et vendent au détail dans les rues. Au printemps, en été, en automne, ils arrivent tous les matins au même endroit, avec leurs voitures chargées des légumes ou des fruits de la saison. En hiver, ils sont moins nombreux, mais ils ne disparaissent

[1] Les Marchands des quatre saisons: street vendors who sell vegetables and fruit throughout the year.

[2] Autour de petites voitures, *around little pushcarts.* "Une voiture" is a general term for a vehicle that is used to transport persons or merchandise.

11

Les Marchands des quatre saisons[1]

jamais tout à fait: au lieu de vendre des asperges ou des cerises, ils vendent des choux, des pommes de terre ou des oranges. Ces vendeurs ambulants existaient déjà en Gaule il y a près de vingt siècles. Seulement au lieu de crier: «Des pommes, mesdames, mes bonnes 5 dames,» ils criaient en latin: «*Mala, mulieres, mulieres meae!*»[3]

— Je ne vois pas comment ils peuvent gagner leur vie, continue Bill. Il y a tant de voitures, et la concurrence des magasins, petits et grands, doit être accablante.

— Vous oubliez que Paris est une grande ville, l'agglomération 10 parisienne compte[4] plus de huit millions de bouches à nourrir. Et puis, la vie du Paris populaire est assez souvent une vie de quartier.

— Que voulez-vous dire, une vie de quartier?

[3] We might translate: "Apples, women, my good women."
[4] compte, *has* (lit.: *counts*).

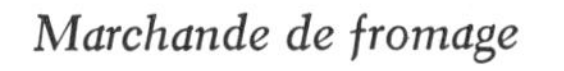

Marchande de fromage

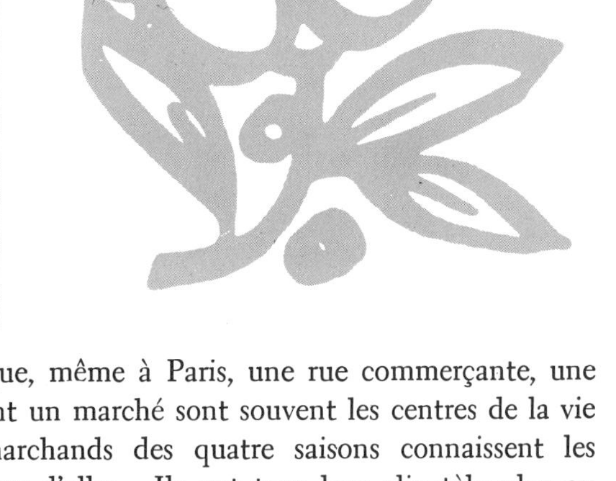

—Je veux dire que, même à Paris, une rue commerçante, une petite place où se tient un marché sont souvent les centres de la vie du quartier. Les marchands des quatre saisons connaissent les ménagères, sont connus d'elles. Ils ont tous leur clientèle plus ou moins fixe. Vous ne connaissez pas la psychologie féminine...

—Vous croyez? dit Bill.

—Les femmes sont partout les mêmes, vous savez. Elles peuvent passer toute une matinée à aller d'une voiture à l'autre, tandis qu'elles ne peuvent guère rester deux heures à l'intérieur d'une épicerie. Rien de plus amusant[5] que d'aller d'un marchand à l'autre,

[5] Rien de plus amusant, [*there is*] *nothing more fun.*

On vend dans les rues toute sorte de fleurs

en comparant les produits et les prix. On rencontre ses amies, on cause, on échange les dernières nouvelles du quartier. Surtout, on peut marchander, et les femmes adorent marchander. «Soixante-quinze centimes ces carottes, M. Dupont! Ce n'est pas raisonnable.
— Eh bien, Mme Durand, puisque vous êtes une bonne cliente, je vais vous les laisser[6] à soixante centimes.» Et, satisfaite de sa petite victoire, Mme Durand part avec ses carottes . . . Vous voyez, tous les avantages psychologiques sont du côté des marchands des quatre saisons. Voilà pourquoi leur commerce est encore florissant.

A ce moment, Ann et Bill passent devant une vieille femme, assise sur une chaise pliante à côté de sa voiture chargée de fleurs.

— Monsieur, un petit bouquet de violettes pour votre belle demoiselle? dit la marchande en s'adressant à Bill.

— Voulez-vous des fleurs, Ann?

— Non, merci. Elles sont bien jolies; mais si vous achetez tout ce qu'on vous offre, vous rentrerez chez vous les bras pleins et les poches vides. Je vois venir un Arménien qui va sûrement essayer de vous vendre un tapis ou un portefeuille . . .

Mais l'Arménien, couvert de ses tapis, s'arrête à la terrasse d'un café.

[6] Je vais vous les laisser, *I am going to let you have them.*

— Les Parisiens, et surtout les Parisiennes, aiment beaucoup les fleurs, continue Ann. Le premier mai,[7] on vend partout du muguet[8] dans les rues. Ce jour-là, beaucoup de gens mettent un petit bouquet de muguet à leur boutonnière ou sur leur corsage, car c'est une espèce de porte-bonheur. En été, on vend dans les rues toute sorte de fleurs; en automne, des chrysanthèmes; en hiver, du mimosa ou des œillets qui viennent de la Côte d'Azur.[9] Une fleur, pour les Parisiens, c'est un peu de campagne, d'air frais et de soleil.

Au coin d'une rue, un homme est en train de griller des marrons sur un fourneau à charbon de bois.

— Avez-vous jamais mangé des marrons grillés? demande Ann. Ils sont délicieux. En hiver, les Parisiens mangent des marrons, comme nous mangeons des cacahuètes et du popcorn en Amérique.

— Vous me dites tant de bien de ces marrons que j'ai envie d'en acheter un sac, dit Bill.

— Allez-y,[10] répond Ann.

Bill achète ses marrons, les trouve délicieux, et, tout en mangeant leurs marrons, Ann et lui continuent leur promenade.

[7] Le premier mai, *the first of May*. The first of a month is "le premier," but other days are "le deux," "le trois," etc.
[8] Du muguet, *lilies of the valley*. This is a collective word.
[9] La Côte d'Azur, *the Azure coast* of the French Riviera (on the Mediterranean).
[10] Allez-y, *go ahead* (lit.: *go there, go to it*).

Avez-vous jamais mangé des marrons grillés?

Départ du Tour de France

Les journaux sont pleins des nouvelles du Tour de France, dit un jour Bill à M. Brégand. Pourquoi les Français s'intéressent-ils tant à une course cycliste?

— C'est sans doute ici le grand événement sportif de l'année, explique M. Brégand, quelque chose comme votre World Series de baseball aux États-Unis.

— J'ai entendu parler du Tour de France.[1] Qu'est-ce que c'est exactement?

— C'est une course à bicyclette qui a lieu tous les ans, en été, et à laquelle participent des coureurs[2] professionnels des pays de l'Europe occidentale. Généralement, outre les Français bien entendu, la Belgique, la Hollande, l'Espagne, l'Italie, la Suisse, le Luxembourg et l'Autriche envoient des équipes. L'honneur national est ainsi en jeu,[3] pas trop, vous comprenez, juste assez pour rendre la

[1] Le Tour de France, *the Trip around France,* a famous annual bicycle race.
[2] Un coureur, *a racer* (lit.: *a runner*).
[3] En jeu, *at stake.*

12
Le Tour de France

course plus intéressante.

— Quel est au juste le parcours de la course?

— Il change d'une année à l'autre, de façon à ce que toutes les régions de la France aient leur tour . . . de France.[4] Mais d'ordinaire
5 la course commence et finit à Paris et traverse le plus grand nombre possible de villes importantes. Le long de la route, les gens de la campagne eux-mêmes viennent attendre le passage des coureurs. Les spectateurs sont particulièrement nombreux aux endroits difficiles, là où il y a par exemple une côte longue et raide qui met à l'épreuve
10 l'endurance des coureurs, ou bien une descente rapide, aux tournants dangereux, très favorables aux chutes[5] multiples. On dit que chaque année plus de 30 millions de Français, c'est-à-dire les trois quarts de la population, ont ainsi l'occasion de voir passer le Tour de France.

[4] . . . aient leur tour . . . de France, *May have their turn*—their Tour de France. A pun. "Aient" is a present subjunctive following the expression "de façon à ce que."

[5] Favorables aux chutes, *where spills are likely* (lit.: *favorable to falls*).

TOUR de FRANCE
24 JUIN — 15 JUILLET

Une côte longue et raide, qui met à l'épreuve l'endurance des coureurs

Itinéraire du Tour de France

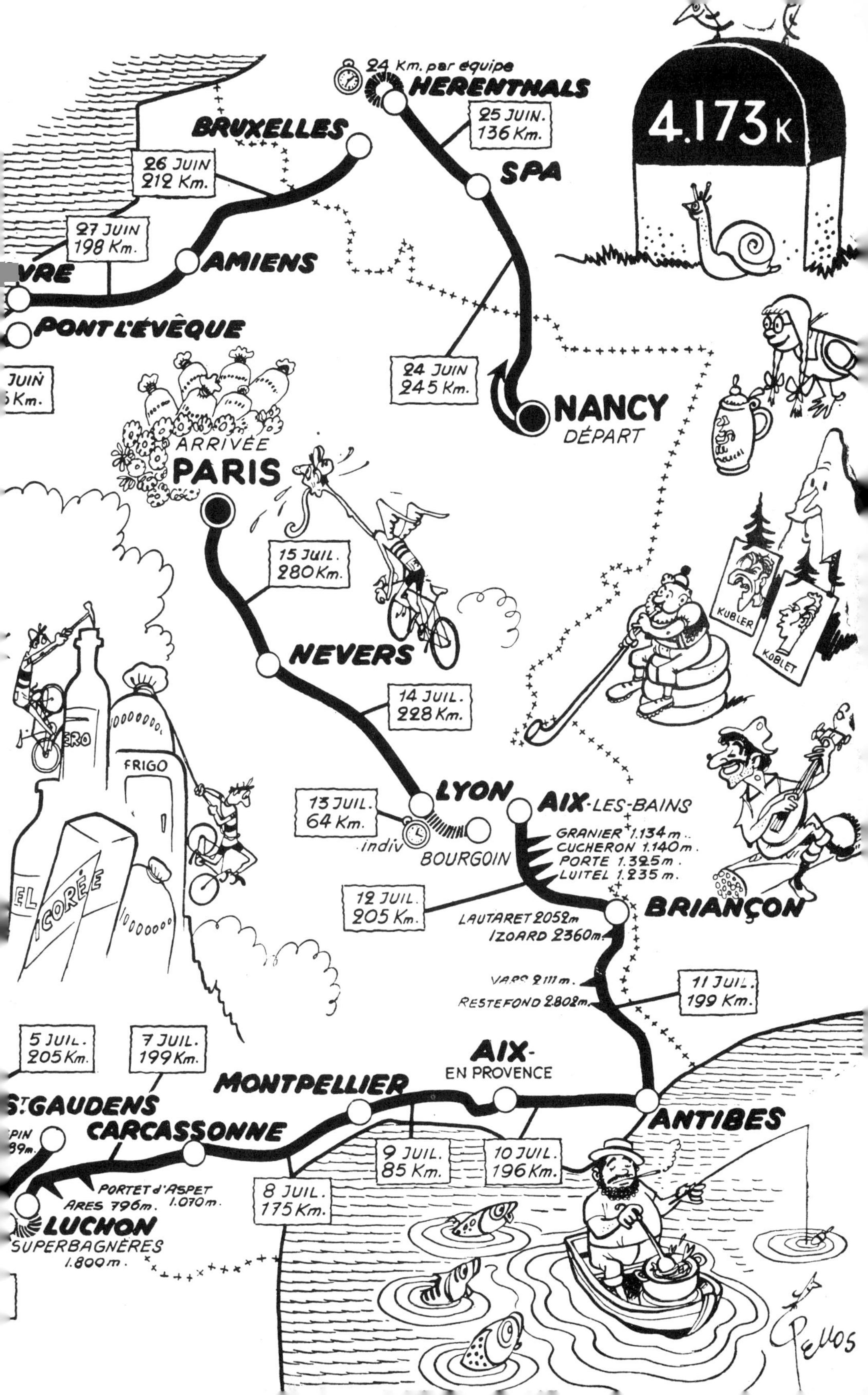

24 Km. par équipe
HERENTHALS
25 JUIN. 136 Km.
SPA
4.173 K
BRUXELLES
26 JUIN 212 Km.
27 JUIN 198 Km.
AMIENS
PONT L'ÉVÊQUE
24 JUIN 245 Km.
NANCY
DÉPART
ARRIVÉE
PARIS
15 JUIL. 280 Km.
NEVERS
14 JUIL. 228 Km.
KUBLER
KOBLET
FRIGO
LYON
13 JUIL. 64 Km.
indiv
BOURGOIN
AIX-LES-BAINS
GRANIER 1.134 m.
CUCHERON 1.140 m.
PORTE 1.325 m.
LUITEL 1.235 m.
12 JUIL. 205 Km.
BRIANÇON
LAUTARET 2052 m
IZOARD 2360 m.
VARS 2111 m.
RESTEFOND 2802 m.
11 JUIL. 199 Km.
5 JUIL. 205 Km.
7 JUIL. 199 Km.
AIX-EN PROVENCE
MONTPELLIER
ST GAUDENS
CARCASSONNE
ANTIBES
9 JUIL. 85 Km.
10 JUIL. 196 Km.
8 JUIL. 175 Km.
PORTET d'ASPET 1.070 m.
ARES 796 m.
LUCHON
SUPERBAGNÈRES 1.800 m.
Pellos

— Est-ce que le Tour de France passe dans la région des Pyrénées et des Alpes? demande Bill.

— Certainement, répond M. Brégand. Les étapes de montagne sont même les plus intéressantes, car c'est là souvent que la course se décide.

— Combien d'étapes y a-t-il en tout?

— Une vingtaine, avec une journée de repos entre chacune d'elles. Les plus longues sont dans les régions de plaine — l'étape Angers-Bordeaux, par exemple, est d'environ 350 kilomètres. Il s'agit alors d'une course de vitesse, où parfois les coureurs maintiennent une moyenne de 40 kilomètres à l'heure sur une distance de 200 kilomètres. Ce n'est pas mal, n'est-ce pas?

— Assurément pas.

— Dans les régions montagneuses, les étapes sont plus courtes mais plus pénibles, des montées interminables le long de routes en lacet,[6] suivies de descentes vertigineuses. Dans les Pyrénées, dans les Alpes, beaucoup de coureurs, épuisés, abandonnent la course.

— Mais qu'est-ce qui les décide à tenter l'aventure?[7]

— Tout d'abord, l'amour du sport, l'ambition d'être le gagnant du Tour de France, le désir de porter, même un seul jour, le fameux maillot jaune.

— Le maillot jaune?

— Mais oui, explique Jacqueline; celui qui, à la fin de chaque étape, est en tête de la course, a le privilège de porter un maillot jaune qui l'attire à l'attention de tous. Évidemment, le maillot change plusieurs fois de mains, ou plutôt de dos, pendant la course. Quelle satisfaction lorsque le porteur du maillot jaune fait une entrée triomphale et fleurie au stade du Parc-des-Princes,[8] au milieu d'une foule en délire.

— Que voulez-vous dire, une entrée fleurie?

— Mais oui, avec un magnifique bouquet de fleurs, tout comme une chanteuse de l'Opéra. Seulement, au lieu de serrer le bouquet contre son sein, il le porte sur son épaule . . .

— Et puis, à côté des avantages honorifiques, continue M. Brégand, le Tour de France offre aux participants des avantages financiers qui sont loin d'être négligeables. Le gagnant reçoit quelque

[6] Une route en lacet, *a mountain road with numerous switchbacks* (lit.: *like a shoelace*).

[7] Tenter l'aventure, *to try their luck.*

[8] Le Parc-des-Princes: a large stadium near the Auteuil race course on the west side of Paris.

chose comme 20.000 francs, plus les profits, petits et grands, de la publicité. Des entreprises industrielles et commerciales offrent toute sorte de prix, au coureur le plus combatif, à celui qui se distingue par une déveine persistante, au meilleur grimpeur, c'est-à-dire au premier à atteindre un certain sommet.

— Je croyais que la publicité était une spécialité américaine...

— Hélas non, répond M. Brégand. Le Tour de France est envahi par la réclame, et les coureurs sont presque perdus au milieu d'une nuée d'autos[9] qui célèbrent l'excellence de divers produits,

Coureurs cyclistes

depuis les cuisinières électriques jusqu'au coca-cola. Naturellement, tout cela fait beaucoup de bruit et beaucoup de poussière.

— Je suis vraiment charmé de retrouver nos produits familiers dans le Tour de France!

— N'écoutez pas mon père, dit Jacqueline. Il donne l'impression que le Tour de France est une enterprise de publicité. Après tout, une course cycliste de quatre à cinq mille kilomètres reste un événement sportif de tout premier ordre.[10]

— Cinq mille kilomètres! s'écrie Bill. C'est à peu près la distance de New York à San Francisco! Vraiment, j'ai une grande admiration pour le porteur du maillot jaune!

[9] Une nuée d'autos, *a crowd of cars* (lit.: *a cloud*).
[10] De tout premier ordre, *of the very first order* (*of importance*).

La Citroën est une excellente petite machine

13
L'Industrie automobile

Combien d'automobiles produisez-vous? demande Bill à M. Brégand un jour qu'il visite avec lui les usines Renault à Billancourt.[1]

— Ici, aux usines de Billancourt?

— En avez-vous d'autres?

— Mais oui, nous avons plusieurs usines. Nos usines de Flins[2] sont parmi celles où l'automation est très développée — je vous les ferai visiter un jour, si vous voulez. Près de Rouen,[3] nous avons des usines récemment construites qui fabriquent des moteurs. Mais, pour répondre à votre question, nous pouvons maintenant produire 3.000 voitures par jour. L'année dernière, nous en avons fabriqué

[1] Billancourt: industrial suburb on southwest side of Paris, the location of the principal Renault plant.
[2] Flins: site of an automated Renault plant near Paris.
[3] Rouen: old capital of Normandy and an important center of tourism as well as of industry and shipping. It is some seventy-five miles up the Seine from the seaport Le Havre.

plus de 565.000 — un peu plus d'un tiers de la production française — et de ce nombre, la moitié environ ont été exportées.

— Où les exportez-vous surtout?

— Un peu dans le monde entier. Comme on peut s'y attendre,[4] nous vendons beaucoup de nos autos dans les pays de l'Europe occidentale. La circulation des produits à l'intérieur du Marché Commun est telle que les frontières économiques tendent à disparaître. C'est ainsi que maintenant nous vendons beaucoup de nos voitures en Italie, qui autrefois achetait peu à l'étranger. Par leurs dimensions et par leur coût, elles répondent très bien aux besoins de pays qui n'ont pas encore toutes les facilités dont vous disposez.

— Quelles facilités par exemple?

— Les routes, pour commencer. Nous avons quelques autoroutes, mais la plupart de nos routes, bien qu'en excellent état, n'ont pas été faites pour l'automobile. Nos villes non plus, et une grosse automobile y est parfois un instrument fort incommode. J'étais l'autre jour dans une petite ville de Bourgogne,[5] pittoresque et attrayante, avec ses magnifiques vestiges de l'époque gallo-romaine.[6] L'hôtel où je suis descendu était situé dans une rue étroite et montante, et le parking était dans une cour intérieure. Pour y arriver,[7] il fallait tourner à angle droit et entrer par une porte cochère.[8]

— Une porte cochère, qu'est-ce que c'est que ça?

— C'est une porte par laquelle entraient autrefois les voitures . . . qui n'étaient pas des voitures automobiles. Dans ma Renault, j'ai passé sous la voûte sans difficulté. Lorsque j'ai quitté l'hôtel quelques minutes plus tard, il y avait à la porte une immense limousine Cadillac. Le chauffeur, dans un bel uniforme, faisait de grands efforts pour entrer. Il avançait, reculait, zigzaguait, mais il n'y arrivait pas. Pour ne pas paraître indiscret, je n'ai pas attendu le résultat de ses efforts.

— Vous ne savez donc pas s'il a réussi?

— Attendez! J'ai revu la limousine le lendemain matin, au moment de mon départ. Elle était un peu endommagée près du

[4] S'y attendre, *expect* (lit.: *expect it*). "Y" is used here instead of "le" because the verb "attendre" is normally followed by the preposition "à."

[5] Bourgogne: one of the ancient provinces, the seat of the Dukes of Burgundy. It is famous for works of art, its university, and its fine wines. It is southeast of Paris.

[6] The Gallo-Roman period extended from about the first to the fifth century.

[7] Pour y arriver, *to get into it.*

[8] Porte cochère, *large doors through which carriages and, now, automobiles may pass from the street to the inner court of buildings.*

J'étais, l'autre jour, dans une petite ville de Bourgogne

phare de gauche — peut-être à la suite d'un accident récent — mais elle était dans la cour. Il est clair que les efforts du chauffeur avaient été couronnés de succès.

— A votre avis, quelle est, pour l'Europe, la voiture idéale?

— La nôtre, bien entendu! Mais, pour parler sérieusement, la voiture idéale est une voiture rapide, à bon marché, et qui consomme très peu d'essence. La 2 CV (chevaux)[9] de notre confrère et concurrent Citroën est une excellente petite machine, qui remplit ces conditions. Mais elle manque de puissance dans les côtes et fait presque autant de bruit qu'une motocyclette.

— Je suis un peu surpris, dit Bill, de vous entendre parler d'une voiture de 2 CV. Aux États-Unis, une auto ordinaire a une puissance d'au moins cent cinquante chevaux. Je me demande comment une voiture de 2 CV arrive à bouger.

— Elle bouge, je vous l'assure. Tout d'abord, nous ne comptons pas les chevaux comme vous les comptez. Lorsque nous parlons de la 2 CV Citroën, il s'agit, pour vous autres Américains, d'une voiture

[9] La 2 CV, *the two (French) horsepower car.* CV is an abbreviation of the French expression "cheval (chevaux) vapeur."

de neuf chevaux. Ne croyez pas d'ailleurs qu'à cause de leur faible puissance, ces petites autos ne sont pas capables d'aller très vite. Il suffit d'aller le long d'une route, aux environs de Paris, pour être convaincu du contraire. C'est seulement lorsqu'il s'agit de monter des côtes très raides qu'on remarque le manque de puissance de nos petites voitures, surtout lorsqu'elles sont lourdement chargées. Il faut avouer aussi que ces voitures sont légères et qu'elles ne tiennent pas toujours parfaitement la route[10] quand il pleut ou quand il fait du vent.

— Certains prétendent[11] que la puissance de nos autos américaines est excessive, dit Bill, que ces voitures sont trop lourdes et qu'il en résulte un gaspillage considérable d'énergie, c'est-à-dire d'essence. Qu'en pensez-vous?

— Sur cette question, comme sur bien d'autres, il y a le pour et le contre.[12] Comprenez-moi bien. Je considère notre petite Renault

[10] Tiennent . . . la route, *stay on the road.*
[11] Prétendent, *claim.* (NOT pretend.)
[12] Le pour et le contre, *the pros and cons* (lit.: *the for and the against*).

Le Salon de l'automobile

comme une excellente voiture, robuste, économique, très manœuvrable. Je vous avoue pourtant que si j'allais, avec ma famille, de Chicago à Los Angeles, je préfèrerais une de vos Buicks qui sont si confortables, ou une limousine Cadillac... Vous voyez que je suis impartial. 5

— On disait autrefois que la France était le pays où tout le monde allait à bicyclette. Est-elle maintenant devenue le pays de l'automobile?

— Il y a toujours pas mal de bicyclettes, mais c'est maintenant le pays le plus motorisé d'Europe. La vente des autos augmente 10 rapidement et vous connaissez le succès du Salon de l'Automobile.[13] Chaque année, au mois d'octobre, il attire au Parc des Expositions un nombre immense de visiteurs. Ce Salon a eu lieu pour la première fois en 1898, à l'âge héroïque de l'automobile. Pour être admise, une automobile devait avoir accompli, par ses propres moyens,[14] le 15 voyage aller et retour de Paris à Versailles.

— Quelle est au juste la distance entre Paris et Versailles?

— Vingt-cinq kilomètres.

— Oh! L'automobile a fait pas mal de chemin[15] depuis 1898!

[13] The annual Automobile Salon is held in the Parc des Expositions at the Porte de Versailles where all sorts of expositions are held.

[14] Par ses propres moyens, *under its own power* (lit.: *by its own means*).

[15] A fait pas mal de chemin, *has gone a long way* and *has made a lot of progress.* Bill apparently likes puns.

L'automobile a fait pas mal de chemin depuis ce temps-là

14

Noël en France

C'est aujourd'hui le 15 décembre. Depuis plusieurs heures il tombe une pluie froide, avec quelques flocons de neige. En sortant de la Comédie-Française,[1] Jacqueline et Bill ont cherché refuge sous les arcades de la rue de Rivoli,[2] où il y a beaucoup d'enfants venus avec leurs parents regarder les devantures des magasins. En cette saison, les jours sont si courts que la nuit commence à tomber à quatre heures de l'après-midi. Les devantures sont brillamment illuminées.

Tout en marchant, Jacqueline et Bill jettent un coup d'œil sur les étalages.

[1] La Comédie-Française: the great national repertory theatre which, along with the Opéra, the Opéra-Comique, and the Théâtre National Populaire, is supported by the French government.

[2] Les arcades de la rue de Rivoli: for several blocks the arcades along the street protect the window-shoppers from inclement weather.

— Je pourrais me croire aux États-Unis, dit Bill. Toute cette jolie décoration de Noël est presque la même que chez nous, et cela me fait plaisir de retrouver ici nos couleurs traditionnelles — le rouge et le vert, les branches de houx, la neige artificielle.

— Est-ce que par hasard vous avez la nostalgie de l'Amérique, le mal du pays, comme on dit? demande Jacqueline.

— Pas exactement, répond Bill. Vous savez que chez nous Noël est la plus grande fête de l'année. Il est tout naturel que je pense à mon pays et à ma famille. C'est le premier Noël que je vais passer loin de mes parents et de mes camarades.

— Je ne vous croyais pas si sentimental, dit Jacqueline. Je sais que vous êtes un bon Américain et un bon fils; mais vous n'êtes pas perdu[3] à Paris. Regardez cette devanture: voilà un wigwam indien à l'usage des petits Français et là-bas, dans le coin, un groupe de Peaux-Rouges, vos compatriotes.

— Je ne savais pas que nos Indiens d'Amérique étaient si populaires ici.

[3] Perdu, *isolated;* past participle of "perdre," *to lose.*

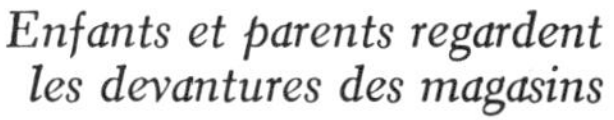

Enfants et parents regardent les devantures des magasins

J'adore parcourir le rayon des jouets et voir le visage radieux des enfants

— Je me souviens que, lorsque j'étais petite, j'aimais beaucoup les Peaux-Rouges, dit Jacqueline. Depuis des générations, avec leurs collègues les cow-boys du Far-West, ils font la joie des enfants européens.

— Mais pourquoi ont-ils tant de succès dans votre pays?

— C'est qu'ils ont tout pour plaire aux enfants de tous les temps et de tous les pays: leur costume pittoresque, leur bravoure, leur cruauté même . . .

— Entrons dans ce magasin, dit Bill. Je voudrais voir ce qu'on donne aux enfants le jour de Noël.

— Volontiers, répond Jacqueline. En cette saison de l'année, j'adore parcourir le rayon des jouets et voir le visage radieux des enfants.

Nos amis entrent donc dans le Grand Magasin du Louvre,[4] où

[4] As it is just across the street from the Louvre, this store adopted the name of the famous Royal Palace. A "Grand Magasin" is the French equivalent of our department store.

Grand magasin au moment de Noël

se presse une foule considérable. Voici d'admirables petites figures de plomb,[5] qui représentent en vives couleurs des chevaliers de la Table-Ronde et des soldats de Napoléon. A côté, il y a des jouets plus modernes: trains électriques, scooters, automobiles de toutes les marques[6] et de toutes les couleurs, même un canon atomique garanti «absolument inoffensif.» Jacqueline s'attarde devant des poupées italiennes, hollandaises, alsaciennes, vêtues de leur costume traditionnel. Bill regarde un Père Noël français.

— Le Père Noël est un peu différent de notre Santa Claus, remarque-t-il. Il est, comme lui, jovial, vêtu de rouge, et il porte une longue barbe. Mais qu'est-ce que c'est que ce panier qu'il a sur le dos?

— C'est une hotte,[7] répond Jacqueline. Il trouve sans doute

[5] Une figure de plomb, *tin soldier* (lit.: *a figure of lead*).
[6] Une marque, *a make*.
[7] Une hotte: a basket woven to be strapped on a person's back.

Le Père Noël porte ses jouets dans une hotte

plus commode de porter ainsi les jouets dont il est chargé. Votre Santa Claus voyage sur un traîneau tiré par des rennes, n'est-ce pas? Notre Père Noël est plus lent: il voyage tranquillement monté sur un petit âne. Il trouve tout de même moyen de descendre dans les cheminées pendant la nuit de Noël. Vous savez qu'en France les enfants laissent leurs souliers devant la cheminée et qu'il les remplit de bonbons et de fruits. Ce que vous ne savez peut-être pas, c'est que beaucoup d'entre eux ont soin de placer, à côté de leurs souliers, une carotte pour l'âne du Père Noël. A leur réveil, la carotte a disparu. Quelquefois, si l'âne n'a pas grand'faim, il n'en mange qu'un morceau.

— Est-ce qu'on a aussi un arbre de Noël dans les familles françaises? demande Bill.

— C'est une vieille tradition germanique qui existe depuis longtemps dans les provinces françaises voisines de l'Allemagne. Depuis une cinquantaine d'années, l'habitude d'avoir dans les maisons un arbre de Noël se répand dans toute la France. Mais une coutume plus particulièrement française est celle de la crèche.

— Je crois en avoir entendu parler. Qu'est-ce que c'est exactement qu'une crèche?

— C'est une représentation, à l'aide de petits personnages et d'un décor approprié, de la scène de la Nativité. Dans une grange ouverte à tous les vents, l'Enfant Jésus, couché sur la paille, est entouré d'un groupe composé de Marie, de Joseph, de bergers avec 5 leurs moutons, d'un âne, d'un bœuf. Au-dessus de la scène, des anges sont suspendus par des fils.[8] C'est charmant... Avez-vous entendu parler des santons[9] de Provence?

— Non, je confesse mon ignorance.

— Ce sont des figures d'argile peintes, représentant les métiers 10 d'autrefois, le forgeron, la marchande de poisson, le ramoneur de cheminées.[10] Il y en a parfois cinquante ou soixante, tous venus adorer l'Enfant Jésus. Ces petits personnages sont d'un réalisme très curieux.

— Avez-vous aussi la tradition de la Bûche de Noël?

15 — Pas à Paris. Mais lorsque j'étais enfant, nous allions tous les ans passer les vacances de Noël chez ma grand-mère à la campagne. La veille de Noël on mettait dans la grande cheminée une

[8] Un fil, *a thread.* The "s" of the plural ending is not pronounced.

[9] Un santon: figurine of Nativity scene. (In Provençal, the word means *a little saint*). Provence is an old province in the South of France. It is not to be confused with the expression "la province" which is used to refer to all of France that is outside of Paris. Some of the "crèches" have dozens of clay figures representing different occupations: blacksmith, baker, etc.

[10] Les métiers d'autrefois..., *the trades of former times, the blacksmith, the fishwife, the chimney sweep.*

énorme bûche qui brûlait deux ou trois jours. A Paris, on a plutôt l'habitude de servir comme dessert un gâteau en forme de bûche qu'on appelle, bien entendu, une bûche de Noël. Vous en verrez chez tous les pâtissiers.

— Ce qui m'intrigue, observe Bill, c'est la relation qui semble exister partout entre la fête de Noël et le feu, la lumière. La cheminée, la bûche de Noël, les lumières sur les arbres, tout cela reprend au fond le même thème. 5

— Les savants disent qu'il s'agit là d'une tradition si ancienne qu'elle se perd «dans la nuit des temps,» explique Jacqueline. Les fêtes de fin d'année, qui suivent le solstice d'hiver, exprimaient, paraît-il, la joie de nos lointains[11] ancêtres au retour prochain[12] de la chaleur et de la lumière. Il n'y avait pas de chauffage central dans les cavernes. On dit qu'à l'origine, c'étaient des fêtes en l'honneur du soleil. 10 15

— Je me rappelle vaguement qu'un de mes professeurs en Amérique a parlé de tout ça, dit Bill... J'ai entendu dire qu'en France, le jour de l'An[13] est une plus grande fête que le jour de Noël, que les cadeaux considérables sont réservés pour ce jour-là.

— Oui, dit Jacqueline. Dans la plupart des familles françaises, c'est à leur réveil, le matin du premier janvier, que les enfants trouvent leurs cadeaux les plus magnifiques. Le jour de Noël, on leur donne surtout des bonbons. Cependant notre grande nuit de réjouissance, la nuit du réveillon,[14] est celle du 24 au 25 décembre. A propos, si vous n'avez pas d'autre projet, voulez-vous faire avec nous le réveillon chez les Des Essarts? Ma tante Françoise réunit la famille tous les ans pour cette fête. Ann Tilden va venir. 20 25

— Très volontiers. Je serai bien content de voir un réveillon traditionnel.

— Bon. Nous irons à la messe de minuit à la Madeleine,[15] où 30

[11] Lointain, *far-off*—in time or in space.
[12] Prochain, *approaching*. The word often means *next*.
[13] Le Jour de l'An, *New Year's Day*.
[14] Le réveillon: midnight supper on Christmas Eve.
[15] La Madeleine: a handsome church in the style of a Greek temple on the Grands Boulevards.

La coutume de l'arbre de Noël se répand partout

la musique est de toute beauté et puis, après, nous irons faire le réveillon chez les Des Essarts. Le menu traditionnel de la famille comprend des huîtres, un jambon, une oie et toute sorte de pâtisseries, y compris une belle bûche de Noël, naturellement.

5 — Pas de champagne?

— Si, si! Il y en aura — et du meilleur.

— Rien que d'y penser,[16] je commence à avoir faim . . .

[16] Rien que d'y penser, *just think of it . . .*

15

Bill est venu passer la soirée chez les Brégand. Assis auprès du feu qui brûle dans la cheminée, il cause avec ses hôtes. On parle de choses et d'autres. Finalement, la conversation tombe sur un problème d'actualité,[2] celui de la circulation dans les rues de Paris.

— Aux États-Unis, dit Bill, j'ai entendu parler de la circulation parisienne comme d'un phénomène unique au monde. Dans son poème symphonique, *An American in Paris*, un de nos compositeurs les plus connus, George Gershwin, l'a évoquée d'une façon amusante, par un tintamarre assourdissant. En Amérique, on croit qu'à Paris il y a des embouteillages perpétuels et des chauffeurs furieux qui s'interpellent constamment dans une langue très pittoresque. Je suis surpris de voir qu'au contraire, dans les rues de Paris, les klaxons gardent à peu près le silence. D'où vient ce changement extraordinaire?

— Vous voyez là le résultat des efforts d'un de nos préfets de police, M. André Dubois, répond M. Brégand. Un beau jour, M. Dubois a décidé de faire appel au bon sens traditionnel[3] des

[1] La circulation, *traffic*. (NOT *circulation*).
[2] Un problème d'actualité, *a timely problem*.
[3] Le bon sens traditionnel, *the traditional good sense*. (If your impression of the French is gleaned from our newspapers, you will be surprised to learn that they think of "common sense" as one of their outstanding characteristics).

Circulation[1] parisienne

Français en général et des Parisiens en particulier. «Grâce à l'automobile,» nous a-t-il expliqué, «la vie à Paris devient de plus en plus difficile. On ne s'entend plus, et la situation est telle que je vois venir le jour où une masse d'automobiles, incapables de bouger,
5 resteront pour toujours immobiles sur la Place de la Concorde,[4] comme un monument impérissable à la complexité de la vie moderne. Cela ne peut pas durer. Évidemment, je peux dire à mes agents de police de dresser une contravention à tous ceux qui, d'une façon ou de l'autre, contribuent à rendre la circulation assourdissante. Mais
10 je n'aime pas avoir recours aux mesures coercives. Ne voulez-vous pas faire un effort pour m'aider à résoudre ce problème?»

— Et qu'est-ce qui s'est passé?

— Le résultat a été merveilleux. Du jour au lendemain,[5] le bruit a cessé et Paris est devenu presque silencieux.

15 — Oui, interrompt Jacqueline. En faisant appel au bon sens des Parisiens, M. Dubois s'est révélé excellent psychologue. Mais cela va-t-il durer?

[4] La Place de la Concorde: a large square towards which traffic converges from all directions. The square is decorated with monumental fountains, sculpture, and a tall Egyptian obelisk.

[5] Du jour au lendemain, *overnight*.

Evidemment, je peux dire à mes agents de police de dresser une contravention

— Malheureusement, il n'a résolu que la moitié du problème, dit M. Brégand. Le tintamarre est gênant;[6] pourtant, le problème qu'il pose est assez facile à résoudre. Le problème de l'embouteillage est beaucoup plus sérieux. Notre capitale est une vieille ville, qui n'a pas été construite pour l'automobile. Le Paris d'autrefois était un labyrinthe de rues étroites et tortueuses. Même au dix-neuvième siècle, quand le célèbre Haussmann[7] a fait aménager[8] de belles places et de larges avenues, il n'y avait pas d'automobiles. Et maintenant il y a deux millions d'autos à Paris et dans ses environs immédiats.

— Le problème de la circulation se posait bien avant l'automobile et bien avant Haussmann, ajoute Raymond. Au dix-septième siècle, les rues de Paris étaient déjà encombrées de voitures, de chevaux, de carrosses, qui rendaient la vie très difficile pour les piétons. J'ai lu quelque part qu'au dix-huitième siècle le roi Louis XV[9] a prié un jour d'Argenson, son lieutenant de police, de faire quelque chose à ce sujet.

— Et qu'est-ce qu'a fait M. d'Argenson? demande innocemment Jacqueline.

— C'est bien simple, dit Raymond. Il a remarqué qu'un grand nombre d'accidents étaient causés par des femmes qui conduisaient à toute vitesse de petites voitures appelées cabriolets. Alors, un beau matin, il a interdit aux femmes de conduire un cabriolet dans les rues de Paris avant l'âge de raison.

[6] Gênant, *disagreeable*.
[7] Haussmann: a 19th-century official who was responsible for opening wide streets and large squares.
[8] Aménager, *arrange*. "A fait aménager," *caused to be opened, laid out*.
[9] Louis XV: King of France 1715–1774.

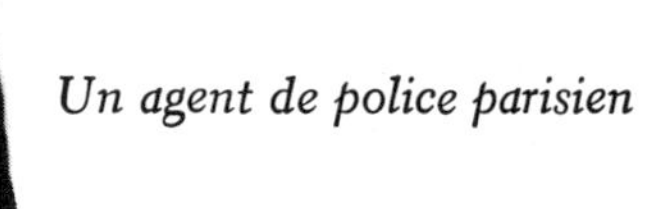

Un agent de police parisien

Une rue à sens unique

Une masse d'automobiles,
Place de la Concorde

— Eh bien?

— Pour les femmes, il a fixé l'âge de raison — un peu arbitrairement, je l'avoue — à trente ans!

— Ton M. d'Argenson[10] était un mauvais plaisant, déclare Jacqueline. C'est toujours la même histoire: nous autres femmes, nous sommes responsables de tous les maux. Tu me fais penser à la vieille chanson populaire:

> A la tienne, Etienne,
> A la tienne, mon vieux;
> Sans ces diables de femmes,
> On serait tous heureux . . .[11]

Ce sentiment de supériorité qu'ont les hommes me paraît parfaitement ridicule.

— Ne te fâche pas, Jacqueline. Est-ce qu'il n'est pas permis à un frère de[12] taquiner un peu sa sœur?

[10] Ton M. d'Argenson, *this Mr. Argenson of yours.*

[11] This drinking song is translated: To yours (your health), Steve; To your health, old man; But for the deuced women, We would all be happy.

[12] Est-ce qu'il n'est pas permis à un frère de, *can't a brother . . . ?* (lit.: *Is it not permitted to a brother to . . . ?*)

École des Beaux-Arts

16

Considérations sur l'éducation

Est-ce que ces jeunes gens vont à l'école? demande Bill à Raymond, un matin qu'ils descendent ensemble la rue Saint-Jacques.[1] Je croyais que la rentrée des classes n'avait lieu qu'au mois d'octobre.

5 — Ce sont sans doute des élèves du Lycée Louis-le-Grand,[2] dit Raymond. La date de la rentrée des classes a été avancée du premier octobre au 15 septembre, lorsqu'on a supprimé la session d'octobre des examens du baccalauréat.[3] Maintenant, il n'y a plus qu'une session par an, au mois de juillet. Tant pis pour les quarante 10 ou quarante-cinq pour cent qui échouent. Ils peuvent se présenter de nouveau l'année suivante.

[1] La rue Saint-Jacques, parallel to the Boulevard Saint-Michel, is one of the principal streets of the Latin Quarter. It runs north and south.

[2] The Lycée Louis-le-Grand (formerly Le Collège de Clermont) is one of the oldest and best lycées in Paris. It boasts of many famous alumni, including Molière, Robespierre, Delacroix, Victor Hugo, and Littré.

[3] The "baccalauréat" is familiarly called "le bac" or "le bachot." It is taken about two years earlier than the American B.A. and is generally supposed to be the equivalent of the completion of the sophomore year in our colleges.

— Chez nous, après le lancement du premier Sputnik par les Russes, on a commencé à se rendre compte que peut-être tout n'était pas pour le mieux dans le meilleur des mondes pédagogiques possibles. Des changements dans l'organisation des études ont été proposés, certains même adoptés. Quelque chose de semblable s'est-il passé en France?

— Pas particulièrement à la suite de l'incident dont vous parlez. Il y a plus de trente ans qu'en France la question d'une réforme de l'enseignement est fort discutée. Remarquez d'ailleurs que cette question ne se pose pas dans les mêmes termes qu'aux États-Unis. Ici, l'enseignement est en grande partie dirigé par l'État, ce qui, dans une certaine mesure, facilite les changements.

Mais je croyais qu'à côté des écoles publiques, il y avait en France beaucoup d'écoles privées.

— C'est parfaitement vrai. Au niveau des études secondaires, un tiers environ des élèves vont à ce qu'on appelle une école libre, souvent catholique. N'oubliez pas pourtant qu'en France l'État fait passer les examens et décerne les diplômes universitaires. Ainsi le gouvernement exerce un contrôle étroit, bien qu'indirect, sur les programmes de l'enseignement, même dans les écoles libres.

— La tendance actuelle aux États-Unis est d'encourager l'étude des disciplines fondamentales, mathématiques, sciences expérimentales, langues vivantes. Dans quelle direction sont orientées les réformes de l'enseignement en France?

— Votre question touche à tant de problèmes d'ordre économique, social, et politique qu'il n'est pas facile d'y répondre. Laissez-moi d'abord vous expliquer. Lorsqu'au commencement du siècle dernier, Napoléon[4] a organisé l'enseignement public sous le nom d'Université de France et l'a divisé dans ses trois branches traditionnelles — primaire, secondaire et supérieur — il s'intéressait particulièrement à l'enseignement secondaire. L'enseignement primaire était pour les petites gens,[5] artisans et paysans, qui fournissaient au pays les ouvriers et les soldats dont il avait besoin. L'enseignement supérieur était évidemment indispensable, mais il n'intéressait qu'un petit groupe d'individus. Dans l'esprit de Napoléon, c'était l'enseignement secondaire qui devait former les dirigeants du pays, fonc-

[4] After the French Revolution, Napoleon reorganized the system of education, of justice, of banking, of national theatres, and so on.

[5] Les petites gens, *humble folk*. Today they would be called *the masses*, or *the people*, as opposed to the wealthy, socially prominent, or professional classes.

Entrée du lycée Louis-le-Grand

tionnaires,[6] avocats, médecins. Or, ces professions n'exigeaient pas alors une très forte spécialisation.

— Il me semble pourtant qu'un juge, un avocat ou un médecin est à sa façon un spécialiste, espérons-le du moins . . .

— Évidemment. Mais les études de droit ou de médecine ne commençaient qu'à la fin des études secondaires, après le baccalauréat. Jusque là,[7] tous suivaient à peu près les mêmes cours, recevaient la même formation. Tous, ou presque tous, venaient d'ailleurs du même milieu social, de la bonne bourgeoisie,[8] où existait depuis deux

[6] Fonctionnaire, *government employee*—including people all the way from petty clerks to persons holding very great responsibility.

[7] Jusque là, *until then, up to that time.* Note that "là" may refer either to place or time.

[8] "Bourgeoisie" is a confusing term. It includes "la petite bourgeoisie" (lower middle classes), "la bonne bourgeoisie" (upper middle classes), and "la haute bourgeoisie" (the very wealthy).

siècles une forte tradition humaniste. Jusqu'à une époque relativement récente, l'étude du grec était jugée indispensable pour celui qui désirait étudier la médecine.

— Voulez-vous dire que la tendance actuelle en France est d'encourager la spécialisation aux dépens des études humanistes?

— Pas du tout. Le but des réformes récentes est bien plutôt d'introduire plus de souplesse, plus de variété dans les études, de façon à mieux développer les aptitudes individuelles. Malgré ses vertus, l'enseignement d'autrefois était beaucoup trop rigide. Un enfant allait au lycée parce que ses parents l'y envoyaient. Pendant six ou sept ans, il y étudiait les matières au programme. Puis, son baccalauréat passé, il devenait trop souvent fonctionnaire... On raconte qu'au siècle dernier, un ministre de l'Instruction publique, en regardant sa montre, déclara un jour avec fierté: «A cette heure-ci, tous les élèves des lycées de France sont en train de faire une version latine» — c'est-à-dire une traduction en français d'un texte latin.

— Pas mal! Mais quelles mesures a-t-on prises pour remédier à cet état de choses?

— Tout d'abord, on a fait des efforts pour «orienter» l'élève selon ses aptitudes. Les classes de sixième[9] et de cinquième des lycées et

[9] La sixième: the beginning class in lycées is called "la sixième," the second year is called "la cinquième," and so on. The work of the lycée is roughly equivalent to our high school and two years of college. The baccalauréat is accepted for admission to the universities—which are strictly graduate schools.

Au réfectoire, les grands aident les petits

collèges constituent ce qu'on appelle le «cycle d'observation.» Le travail de l'enfant, âgé alors de onze à treize ans, est observé de près. A la fin du cycle, un conseil composé de maîtres et d'experts fait ses recommandations en ce qui concerne la nature des études que poursuivra l'élève[10] jusqu'à l'âge de seize ans.

— Ne pensez-vous pas que ce système est lui aussi[11] rigide et arbitraire? Certains enfants se développent plus lentement que d'autres . . .

— La décision du conseil n'est pas irrévocable. Si plus tard un élève fait preuve d'aptitudes, il pourra poursuivre ses études jusqu'au baccalauréat et au-delà.

— Mais qu'est-ce qu'on étudie au lycée et au collège?

— Une fois de plus, il n'est pas facile de répondre à votre question, car les options, c'est-à-dire les programmes d'études possibles, se sont multipliées. Tout d'abord, parallèlement à l'enseignement secondaire plus ou moins traditionnel, appelé maintenant l'enseignement général, un enseignement nouveau a été créé, l'enseignement technique.

[10] Que poursuivra l'élève, *which the pupil will follow.* Note that "que" is the object of the verb and that "l'élève" is the subject. This inverted word order is extremely confusing if you do not bear in mind that "qui" is the subject form of the relative pronoun and that "que" is the object form.

[11] Lui aussi, *(it) too.* The word "lui" calls attention to the fact that the word "aussi" refers to "ce système" rather than to "rigide."

Sortie d'une école maternelle

— Ce que nous appelons «vocational training?»

— Mais non. C'est un enseignement qui, sans négliger les humanités, prépare des spécialistes pour les professions industrielles et commerciales. Au temps de Napoléon, la vie était très simple: connaître son métier était tout ce qui était exigé d'un artisan, savoir compter tout ce qui était exigé d'un commerçant. La science et ses applications, la complexité de la vie économique moderne ont changé les choses. Certains pensent que la France a besoin de plus d'ingénieurs et de techniciens, et de moins de philosophes.

— J'ai pourtant toujours entendu dire que la France avait d'excellents ingénieurs.

— Il ne s'agit pas de qualité, mais de quantité. De nos jours, l'industrie et le commerce ont besoin d'un nombre énorme de spécialistes, et à tous les degrés de préparation. C'est pourquoi on a organisé un enseignement technique «court», d'une durée de trois ans, et un enseignement technique «long», donné dans des lycées techniques, et qui au bout de cinq ou six années d'études, mène au baccalauréat.

— Est-ce que le baccalauréat technique est l'équivalent de l'autre?

— Oui, notamment au point de vue de l'admission dans l'enseignement supérieur. L'enseignement général est aussi divisé en enseignement général court et en enseignement général long. Ce dernier mène naturellement au baccalauréat.

— Le même baccalauréat qu'autrefois?

— Pas exactement. L'examen comprend toujours deux parties, qui se passent à un an d'intervalle,[12] mais les options sont plus nombreuses. Je vous fait grâce des détails — tout cela est assez compliqué.

[12] A un an d'intervalle, *a year apart* (lit.: *at one year of interval*).

Institut d'Études politiques

— Je m'en rends compte. L'examen du baccalauréat est-il resté le même, un examen écrit et un examen oral, selon la vieille formule?

— On a à peu près supprimé l'examen oral, sauf pour les langues étrangères. Mais le nombre des candidats reçus ne dépasse pas soixante pour cent, selon la vieille formule . . .

— Il me semble que les changements que vous avez indiqués nécessitent une réorganisation considérable. Si je vous ai bien compris, il y a des lycées et des collèges d'enseignement général, d'autres d'enseignement technique.

Un lycée moderne

— Le ministre de l'Éducation nationale est en train d'accomplir cette réorganisation, qui doit être complétée bientôt . . . On parle aussi beaucoup de moderniser les méthodes. Certains pensent que la façon d'enseigner la géométrie et l'algèbre est archaïque, que l'enseignement des sciences est trop théorique et chargé de détails inutiles. D'autres sont en faveur d'un plus grand emploi de la télévision dans les écoles, car il n'y a pas assez d'instituteurs et de professeurs pour la population toujours croissante des écoles.

— On discute aussi tous ces problèmes aux États-Unis.

— Ce sont les problèmes du monde actuel, les conséquences des progrès et des révolutions de notre époque.

17

Eaux minérales

Hall du grand établissement à Vichy

M. et Mme Lange ont souvent invité Bill à dîner chez eux et ils l'ont présenté à leurs amis le plus aimablement du monde — comme s'il était un membre de la famille. Bill décide de rendre[1] leur politesse en les invitant à dîner avec lui dans un restaurant du Bois de Boulogne. M. et Mme Lange acceptent avec plaisir, car ils dînent rarement dans les grands restaurants.

En descendant du taxi, Bill remarque que l'affluence[2] est grande et qu'il y a dans le parking de belles autos de toutes les marques européennes et américaines. A l'intérieur, au contraire, tout est calme. Il n'y a pas de musique, pas de bar. Les garçons, vêtus de noir, vont d'une table à l'autre, présentant des cartes, apportant des plats. Malgré leur habileté, le service est assez lent. Dans les restaurants de luxe, on n'est pas pressé.

Quand Bill et ses invités sont assis, Bill regarde curieusement autour de lui, car il trouve toujours amusant d'observer les gens. Voici deux vieux messieurs à barbe blanche, décorés[3] tous les deux, qui mangent ensemble. A la table voisine, un homme jeune et bien mis dîne en tête à tête avec une blonde éclatante. Plus loin, il y a

[1] Rendre, *to pay back.*
[2] L'affluence, *the crowd.*
[3] Décorés: wearing ribbons corresponding to honors they have received.

une famille de la bonne bourgeoisie[4] qui mange copieusement, serviette au cou... Bill remarque tout à coup que quelques-uns de ces gens-là ne boivent que de l'eau.

— J'ai toujours entendu dire que vous autres Français ne buvez jamais d'eau, dit-il. Avant mon départ des États-Unis, on m'a bien recommandé de ne pas en boire. Par précaution, on m'a même vacciné contre les maladies que l'eau peut transmettre. Ces gens n'ont-ils pas peur de la dysenterie ou de la fièvre typhoïde? 5

— Soyez[5] tranquille, répond M. Lange. Notre eau est parfaitement inoffensive. Je me demande même parfois si cette légende de l'insalubrité de l'eau en France n'a pas été répandue par des gens intéressés à la vente d'autres boissons. 10

— Je sais que l'eau de la ville de Paris est bonne, dit Bill, car j'en bois tous les jours.

— D'ailleurs, explique Mme Lange, les gens que vous voyez ne boivent pas de l'eau ordinaire, mais de l'eau minérale. 15

— De l'eau minérale? s'écrie Bill. Est-ce que tous ces gens-là sont malades?

[4] La bonne bourgeoisie, *the well-to-do, upper middle class.*

[5] Soyez, *be.* Imperative of "être." Our equivalent of "Soyez tranquille" would be: "Don't worry."

Ils se reposent, loin des soucis de la vie habituelle

— Pas du tout, répond M. Lange. S'ils boivent de l'eau minérale, c'est parce qu'ils l'aiment, parce qu'ils ont l'habitude d'en boire, et surtout parce qu'ils croient que l'eau minérale est bonne pour la santé. Certaines eaux minérales ont la réputation d'être bonnes pour l'estomac, d'autres pour le foie, d'autres pour le cœur.

— J'admets volontiers, dit Bill, que ces eaux minérales peuvent contenir des produits utiles pour le traitement de certaines maladies. Mais croyez-vous que ces produits s'y trouvent en quantité suffisante pour être vraiment efficaces?

— Vous êtes bien Américain, mon cher Bill, reprend Mme Lange avec un sourire. Vous voulez toujours être «efficient.» Ne croyez-vous pas qu'il vaut mieux soigner tout doucement une maladie d'estomac, par petites doses d'eau de Vichy par exemple, plutôt que de la traiter violemment, par une opération chirurgicale ou par des doses massives de remèdes chimiques?

— Certainement, répond Bill, mais à condition que la maladie soit[6] aussi douce que le remède. J'avoue qu'en Amérique nous abusons peut-être des remèdes énergiques.[7] Mais n'est-il pas dangereux de traiter par l'eau de Vichy un désordre sérieux?

— Heureusement que tous les désordres ne sont pas sérieux, répond Mme Lange. Je connais quantité de gens qui vont faire, chaque année, une cure à Vichy ou ailleurs et qui s'en trouvent très bien.

— Une cure? demande Bill. Est-ce que tous ces gens-là reviennent soudainement guéris?

— Bill, déclare Mme Lange, je crois que le mot anglais «cure» vous trompe[8] sur le sens de l'expression «faire une cure.» Cela ne veut pas dire revenir guéri, mais seulement suivre un traitement. Le succès n'est pas absolument garanti. D'ailleurs, pour les personnes d'un certain âge, la santé est un terme relatif.

— A vrai dire, explique M. Lange, faire une cure ne consiste pas seulement à boire de l'eau d'une source. Vichy, Vittel, Aix-les-Bains, toutes les grandes stations thermales[9] sont aménagées en lieux de villégiature.[10] Terrains de golf, courts de tennis, piscines, régates,

[6] Soit, *is*. Present subjunctive of "être." The subjunctive is used after "à condition que."

[7] Énergique, *powerful*.

[8] Vous trompe sur, *misleads you about . . .*

[9] Une station thermale, *a watering place, a hot spring*.

[10] En lieux de villégiature, *as summer resorts*.

courses, concerts, théâtres, casinos, restaurants de luxe, boîtes de nuit même, rien n'y manque.

— Dans ces conditions, dit Bill, faire une cure doit être très agréable. Mais à quoi bon boire de l'eau minérale pour se soigner l'estomac si ensuite on fait un bon dîner dans un restaurant de luxe et si l'on finit la soirée au casino ou ailleurs? Ne détruit-on pas, la nuit, tout le bon travail de la journée?

— N'exagérons pas, dit en riant M. Lange. La plupart des gens prennent leur cure très au sérieux. Ils boivent de l'eau minérale, suivent des traitements physiothérapiques bienfaisants. Ils prennent un peu d'exercice. Surtout, ils se reposent, loin des soucis de la vie habituelle. Le repos n'est-il pas le meilleur des remèdes pour la plupart des maladies? Moi qui vous parle, après une mauvaise journée au lycée, j'ai souvent envie de prendre le premier train pour une station thermale des Pyrénées.

— Ah bon! Je comprends, dit Bill. Les gens vont aux eaux comme ils vont à la plage ou à la pêche à la ligne: pour se reposer et pour se distraire.

— C'est à peu près cela, répond M. Lange. Mais aller aux eaux, comme on dit, a quelque chose de plus distingué, de plus noble. Plus encore qu'à la plage, on trouve là l'élite de la société internationale: hommes d'État, étoiles de cinéma, millionnaires américains, princes, ducs, marquis, rois en exil . . .

— C'est extrêmement chic, vous voyez, interrompt Mme Lange.

— Comme vous le savez peut-être, continue M. Lange, un certain nombre de nos stations thermales portent le nom de Bourbon ou de Bourbonne, Bourbon-Lancy et Bourbonne-les-Bains, par exemple. Savez-vous pourquoi?

— Non, répond Bill. Mais, après ce que vous venez de dire, je suppose que c'est à cause du caractère aristocratique de la société qu'on y trouve encore. Je pense, bien entendu, à la famille royale des Bourbons.[11] Est-ce que les rois de France ont honoré ces endroits de leur présence?

[11] Henri IV: King of France, 1589–1610, was the first of a long line of Bourbon kings.

Un verre d'eau minérale?

—Vous n'y êtes pas du tout, répond M. Lange. Les sources minérales étaient célèbres longtemps avant l'arrivée au trône des Bourbons. Après la conquête de la Gaule,[12] les anciens Romains y venaient souvent faire une cure. Et longtemps avant l'arrivée des 5 Romains, les anciens Gaulois avaient un dieu des sources qui s'appelait Borvo. Il paraît que Bourbon vient du nom de ce dieu gaulois. Vous voyez que l'habitude de faire une cure n'est pas une vogue passagère . . .

A ce moment, l'arrivée du garçon vient interrompre la conver-10 sation. Mme Lange regarde la carte qu'il lui présente, puis, se tournant vers son hôte, elle lui demande avec un gentil sourire: «Eh bien, mon cher Bill, qu'allez-vous prendre comme boisson? Une bonne bouteille d'eau minérale?»

[12] Caesar's conquest of Gaul took place from 58 to 50 B.C. The Romans built roads and cities, and for some five hundred years Gaul was a flourishing part of the Roman Empire. Traces of Gallo-Roman architecture are still to be seen all over France, particularly in the South: aqueducts, triumphal arches, amphitheaters, temples, baths, etc.

18 *Le Long de la Seine*

Un jour qu'ils sont allés voir le Marché aux Fleurs,[1] Bill et Ann traversent ensemble le Pont-Neuf.[2]

— Ce pont est une espèce de monument historique, explique Bill. C'est le plus vieux des ponts de Paris. C'était autrefois le site 5 d'une foire perpétuelle, où il y avait toujours une foule de marchands ambulants, de musiciens, d'acteurs qui jouaient des farces, et naturellement beaucoup de gens du quartier.

— Et on l'appelle le Pont-Neuf? dit Ann.

— Pourquoi pas? Lorsqu'il a été construit il y a environ trois 10 cent cinquante ans, on l'appelait tout naturellement le Pont-Neuf. Le nom lui est resté.

— Les Français aiment bien conserver les traditions, remarque Ann.

— Vous croyez? Pourtant, nous ne disons pas New York ou 15 New Orleans pour conserver une tradition, je pense.

En arrivant au milieu du pont, Ann et Bill s'arrêtent un moment devant la statue équestre de Henri IV.

— Cette statue a toute une histoire, explique Bill. Un de mes camarades à l'École des Beaux-Arts me l'a racontée. Le cheval de 20 la statue primitive[3] avait été fait en Italie, car les Italiens avaient alors la réputation de faire de très beaux chevaux.

[1] Le Marché aux Fleurs, *the flower market*. This open-air market, which is held certain days of the week on the Île de la Cité, attracts many sightseers.

[2] Le Pont-Neuf: *the "new" bridge*. It was completed in 1606.

[3] Primitive, *original* or *first*. The word does not have the connotation of "crude."

— Le cheval est en effet magnifique.

— La Révolution française,[4] qui n'aimait pas les rois, a fait fondre Henri IV et son cheval. Plus tard, lorsque la monarchie a été restaurée[5] après la chute de Napoléon, le nouveau régime, qui n'aimait pas Napoléon, a fait fondre la statue de Napoléon qui était sur la Colonne Vendôme[6] et s'est servi du bronze de cette statue pour refaire celle de Henri IV.

— Malgré ses aventures, la statue paraît être en très bon état... Mais regardez la Seine, Bill, avec tous ses ponts qui s'étendent à perte de vue. N'est-ce pas un beau spectacle?

— Je crois bien, répond-il. On a admirablement tiré parti[7] de ce fleuve, qui en lui-même n'est pas très imposant. Ce n'est pas le Mississippi, non. Mais tandis que chez nous les quartiers qui bordent fleuves et rivières sont souvent misérables, il faut avouer qu'on a réussi à faire de la Seine un des grands attraits de la capitale.

[4] Some authorities hold that the French Revolution began on the Pont-Neuf. Whether this is true or not, the Pont-Neuf is the site of a fine display of fireworks on Bastille Day (July 14).

[5] The restoration of the monarchy was in 1815.

[6] The Colonne Vendôme is a monumental column in the center of the Place Vendôme. It is covered with bronze bas-reliefs representing Napoleon's battles.

[7] Tirer parti de, *to use advantageously.*

Sur le parapet qui borde le fleuve sont placées côte à côte les boîtes des bouquinistes

— Aussi[8] les Parisiens adorent-ils leur fleuve, continue Ann. Jacqueline m'a dit que la Seine est pour eux, dans son flot continu, une espèce de symbole de la continuité de leur ville.

— Ils la célèbrent même dans leurs chansons populaires. Connaissez-vous celle-ci, par exemple:

> Elle roucoule, coule, coule,
> Dès qu'elle entre dans Paris,
> Elle s'enroule, roule, roule
> Autour de ses quais fleuris.
> Elle chante, chante, chante, chante
> Chante le jour et la nuit,
> Car la Seine est une amante
> Et son amant c'est Paris.

— Cette chanson est la plus jolie du monde, dit Ann, et vous la chantez très bien. Mais attention! Les gens nous regardent. Ils se demandent peut-être si, par hasard, vous êtes un de ces chansonniers populaires qu'on entendait autrefois sur le Pont-Neuf.

[8] Aussi . . . adorent-ils, *and so they love.* Note that "aussi" means "and so" (NOT also) at the beginning of a sentence.

— A quelle heure devez-vous être à la Sorbonne? demande Bill lorsqu'ils arrivent à l'extrémité du Pont-Neuf.

— Un peu avant dix heures. Nous avons trois quarts d'heure devant nous. Voulez-vous jeter un coup d'œil sur les étalages des bouquinistes?[9]

— Volontiers, dit Bill. On y trouve souvent des choses intéressantes.

Le long de la Seine, sur le parapet qui borde le fleuve, sont placées côte à côte les boîtes des bouquinistes. Ann et Bill vont d'une boîte à l'autre, tournant ici les pages d'un vieux livre, examinant là une collection de vieilles estampes[10] ou de timbres. Bill trouve un traité d'architecture qui l'intéresse beaucoup. Mais le prix — 80 francs — en est assez élevé. Il le montre à Ann et lui demande son avis.

— Pourquoi n'essayez-vous pas de marchander un peu? lui demande-t-elle. Le commerce des livres d'occasion est une espèce de commerce spéculatif.

— Vous voulez dire que l'acheteur risque de payer un prix trop élevé ce qu'il achète?

[9] Les bouquinistes, *the secondhand book dealers.* (Compare: livre, *book;* libraire, *bookseller;* bouquin, *old book.*)

[10] Une estampe, *a print (engraving, etching, wood block,* etc.).

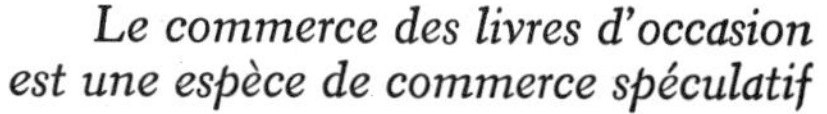
Le commerce des livres d'occasion est une espèce de commerce spéculatif

. . . . examinant là une vieille collection d'estampes

— Oui. Mais le vendeur risque aussi de recevoir un prix trop bas pour ce qu'il vend. Ne vous ai-je pas parlé de mon oncle qui collectionne les livres sur l'histoire de la médecine? Chaque fois qu'il vient en France il visite tous les bouquinistes. Il a trouvé ici des occasions magnifiques. Il m'a expliqué qu'il porte toujours ses plus vieux habits, afin de ne pas paraître trop prospère, et que plus un livre l'intéresse, plus il affecte l'indifférence à son égard . . . C'est une espèce de jeu assez amusant, dont les bouquinistes, eux aussi, connaissent admirablement les règles. De sorte que tout le monde est content.

— Grâce aux sages conseils de Ann, Bill finit par payer 70 francs le traité d'architecture, et, tout heureux de son acquisition, il continue avec Ann sa promenade le long de la Seine.

Ann s'arrête un moment pour observer des pêcheurs, qui, en plein cœur de Paris, regardent patiemment leurs bouchons flotter sur l'eau verte de la Seine.

— Est-ce qu'ils attrapent jamais quelque chose? demande-t-elle à Bill.

— Pas grand-chose, répond-il. Mais les pêcheurs à la ligne sont aussi parisiens que la tour Eiffel. Tous les matins, on les voit arriver avec leurs cannes à pêche et leurs chaises pliantes. Tous les soirs, ils rentrent chez eux, fort satisfaits de leur journée s'ils ont attrapé une demi-douzaine de poissons gros comme deux doigts.

— Ils ont l'air pourtant très experts dans leur art. Regardez l'habileté avec laquelle cet homme lance sa ligne. Ce n'est sûrement pas un débutant.

— Le malheur est que les poissons de la Seine sont des experts, eux aussi. Ils ont acquis une certaine expérience, vous comprenez, depuis des siècles que les Parisiens essayent de les attraper . . .

Ils ont l'air très experts dans leur art

Cette statue de Henri IV a toute une histoire

19

Anniversaires

Je vois dans le journal l'annonce de la représentation du film de Walt Disney *20,000 Leagues under the Sea.* Le connaissez-vous? demande Bill à Jacqueline, un jour que les deux amis sont assis sur la terrasse d'un café près de la Sorbonne.

— J'ai entendu parler de cette adaptation de *Vingt mille lieues sous les mers,* répond Jacqueline, mais je ne l'ai pas encore vue. Il paraît que c'est un excellent film. Disney a sans aucun doute énormément d'originalité. Avez-vous vu ce film aux États-Unis?

— Oui, répond Bill. C'est un film très curieux.[1] On a quelquefois l'impression d'être dans un aquarium. Cela ne l'empêche pas d'être amusant, surtout pour les enfants. Votre Jules Verne avait certainement le talent d'éveiller et de conserver l'attention du lecteur avec ses histoires extraordinaires.

[1] Curieux, *interesting and unusual.*

Statue de Montaigne, près de la Sorbonne

— J'étais justement à Amiens au moment des cérémonies du cinquantenaire de sa mort, continue Jacqueline. J'avais alors une dizaine d'années. J'ai entendu célébrer, dans des discours éloquents, son imagination prodigieuse, son art de prédire, au dix-neuvième siècle, les merveilles de la science future, depuis le sous-marin *Nautilus* jusqu'au projectile qui monte à la lune — et qui en revient.[2]

— Vous paraissez un peu sceptique . . .

— Pas exactement. Je suppose qu'un jour des hommes, et bien entendu des femmes, iront à la lune. Mais il me semble qu'un tel exploit est plus difficile à réaliser[3] qu'à imaginer. Jules Verne est certes un excellent conteur. Mais il me semble qu'il n'a pas toujours tenu compte des difficultés du voyage!

[2] En revient, *comes back (from there).*
[3] Réaliser, *carry out, put into effect.* (NOT realize.)

— A propos du cinquantenaire de Jules Verne, continue Bill, pouvez-vous m'expliquer pourquoi vous célébrez si souvent l'anniversaire de la *mort* d'un de vos grands hommes? Aux États-Unis, nous célébrons d'ordinaire l'anniversaire de la *naissance* des nôtres, celle de Washington ou celle de Lincoln, par exemple. N'est-ce pas plus justifié? Car, s'il y a lieu[4] de fêter l'anniversaire de la naissance d'un personnage illustre, je ne vois guère de raison de célébrer sa mort.

— Il ne s'agit pas de célébrer sa mort, mais d'honorer sa mémoire, de rappeler ce qu'il a accompli.

— Il est vrai qu'un enfant qui vient de naître n'a encore rien accompli, dit Bill.

— C'est une question de point de vue, continue Jacqueline, et aussi une tradition, qui se rattache sans doute à de vieilles habitudes. Sans compter que cette évocation[5] de la mort d'un grand homme donne de la dignité, de la gravité aux cérémonies qui honorent sa mémoire.

— En lisant les journaux, j'ai remarqué que ces fêtes d'anniversaire sont très nombreuses. Il me semble qu'il y a toujours quelque ville de France qui honore un éminent «disparu»,[6] comme on dit. Certains de vos grands hommes, comme Pasteur, sont dignes en tout point des honneurs qui leur sont rendus; mais il y en a d'autres dont je n'ai jamais entendu parler.

— N'oubliez pas que si de grands anniversaires, comme celui de Pasteur ou de Balzac, sont sur le plan national, d'autres sont des anniversaires purement locaux. L'importance des cérémonies commémoratives est proportionnée à celle de l'homme qu'elles honorent.

— Aux États-Unis nous préférons la dramatisation de grandes scènes historiques, la bataille de Gettysburg, par exemple, mais l'idée est au fond la même... Dites-moi, Jacqueline, en quoi consistent exactement les cérémonies dont vous parlez?

— Cela dépend, répond-elle. Il y a souvent, dans un musée ou dans une bibliothèque publique, une exposition d'objets associés à la vie et à l'œuvre du personnage en question, effets personnels, appareils et instruments s'il s'agit d'un savant, peintures et dessins s'il s'agit d'un peintre.

[4] S'il y a lieu, *if there is reason or occasion.* ("Lieu" usually means *place.*)
[5] L'évocation, *act of remembering or recalling.*
[6] Un disparu, *a person who is dead.* "Disparu" is the past participle of "disparaître," to disappear; but it is often used as a noun. This euphemistic use of the word is parallel to English "to pass on," "the departed," etc.

Le monument en l'honneur de Maupassant n'est pas un chef-d'œuvre

— De telles expositions pourraient être fort instructives.

— En effet, dit Jacqueline. Pour l'exposition Chopin, à la Bibliothèque Nationale,[7] par exemple, on a réuni toute sorte de choses: des manuscrits, des premières éditions de ses compositions

[7] La Bibliothèque Nationale, *the National Library.* In addition to an enormous collection of books and newspapers, the library has priceless collections of manuscripts, prints of various sorts, coins, maps, fine bindings, etc.

avec des couvertures décorées de scènes romantiques, des programmes de ses concerts, son piano même, son portrait fait par Delacroix,[8] des lettres de George Sand,[9] etc. Toutes les expositions organisées à la Bibliothèque Nationale sont merveilleuses.

— J'ai entendu dire que la Bibliothèque Nationale possède une collection de manuscrits et d'estampes tout aussi remarquable que les collections de peintures et de sculptures du Louvre.

— Cela est vrai, répond Jacqueline. Mais à propos des anniversaires, je dois vous dire aussi que d'ordinaire on inaugure,[10] en présence des autorités compétentes,[11] une statue ou un buste du

[8] Delacroix (1798–1863) was the leader of the Romantic school of painters.
[9] George Sand, pen name of the authoress of very successful novels of the 19th century.
[10] Inaugurer, *to unveil* (with appropriate ceremonies).
[11] Les autorités compétentes, *the proper authorities.*

... ni celui en l'honneur de Gounod

personnage en question sur une des places de la ville; ou bien on pose une plaque commémorative sur la maison où il a habité. Des articles de journaux rappellent le disparu. Quelquefois, le service des P. T. T.[12] émet un timbre commémoratif...

5 — Oh! je comprends maintenant. C'est pour cela qu'il y a tant de statues et de bustes dans les villes de France et que vous émettez tant de timbres commémoratifs.

— Il est vrai, répond Jacqueline, que le nombre de timbres de ce genre peut sembler excessif.

10 — Je n'avais pas du tout l'intention de vous le reprocher, dit Bill. Notre gouvernement des États-Unis émet au moins autant de timbres que le vôtre. Je suis même tout disposé à admettre que vos timbres sont d'ordinaire plus artistiques que les nôtres.

— Merci. J'admettrai, en retour, que certaines des statues qui 15 ornent nos places publiques ne sont pas des chefs-d'œuvre. Fréquemment, nos journaux commencent une campagne de presse contre quelque monument qui, disent-ils, déshonore leur ville. Mais ces campagnes réussissent rarement.

— Oui, dit Bill, il est sûrement plus facile d'ériger un monument 20 que de s'en défaire. En Amérique comme en France, chaque petite ville a son monument aux anciens combattants. Souvent le monument n'honore ni la ville ni les soldats. Je n'aime pas l'idée de célébrer les morts en exposant leur statue dans la rue.

— Alors, dit Jacqueline, vous apprécierez le geste d'un groupe 25 de jeune peintres qui ont mis dans le Parc Monceau[13] un écriteau avec la légende:

IL EST INTERDIT
D'ÉRIGER DES STATUES
SUR LA PELOUSE[14]

[12] Le service des Postes, Télégraphe et Téléphone: (practically always abbreviated). Although the official name of this branch of the government is now Postes et Télécommunications, and one *should* say P.T., most people go on saying P.T.T.

[13] Le Parc Monceau: a very well-kept park in a fashionable neighborhood. It has numbers of statues here and there on the lawns.

[14] "*It is forbidden to put up statues on the lawn.*" This is about the equivalent of: "Keep off the grass with your statues."

20

Rues de Paris

Un après-midi qu'ils se promènent ensemble sur les grands boulevards, Bill dit à Raymond:

—Il n'y a rien de plus[1] déconcertant que vos rues de Paris. Elles vont dans tous les sens, et celles qui sont à peu près droites changent de[2] nom avec une facilité singulière. Il y a quelques instants ce boulevard-ci s'appelait le *boulevard Montmartre*. Il est devenu tout à coup le *boulevard Poissonnière*. Et maintenant je vois que nous sommes sur le *boulevard de Bonne-Nouvelle*, qui est le

[1] Rien de plus . . . , *nothing more* . . . Note that after "rien" and "quelque chose" an adjective is preceded by the preposition "de."
[2] Changer de, *to change*.

prolongement exact des deux précédents. Pourquoi a-t-on donné tant de noms différents à la même rue?

— Pour que les gens ne sachent jamais où ils sont! Cela tient leur curiosité en éveil!

5 — Sérieusement, Raymond, pouvez-vous donner une raison logique qui explique ces changements? Vous autres Français, vous avez la réputation d'avoir l'esprit clair.[3] Trouvez-vous un malin[4] plaisir à jeter la confusion dans l'esprit des visiteurs étrangers de passage[5] à Paris?

10 — Vous exagérez, Bill. Il y a relativement peu de rues qui changent de nom sans vous en avertir. D'ailleurs, les Parisiens eux-mêmes sont souvent embarrassés par la complexité des rues de leur ville, et beaucoup d'entre eux ont dans leur poche un petit guide

[3] L'esprit clair. Compare the proverbial expression: "Si ce n'est pas clair, ce n'est pas français."
[4] Malin, *sly, mischievous.* (NOT malign.)
[5] De passage à, *temporarily in.*

qui porte le nom bien choisi d'*Indispensable*. Il l'est[6] en effet. Même les agents de police et les chauffeurs de taxi doivent le consulter de temps en temps.

— Lorsque j'étais à Québec il y a deux ans, un des habitants m'a fait remarquer que la rue principale de la ville change trois ou quatre fois de nom en cours de route. Il s'agit sans doute là d'une vieille coutume française.

Une autre vieille rue parisienne

— Le changement soudain du nom d'une rue s'explique souvent par une raison historique. C'est parfois la proximité d'un site bien connu des Parisiens d'autrefois, d'une église, d'un bâtiment depuis longtemps disparu. Par exemple, la Bastille, qui a été détruite en 1789, a laissé son nom à un boulevard et à une belle place. Si une section des grands boulevards porte le nom de *boulevard de Bonne-Nouvelle*, c'est qu'il y avait là une petite église, qui existe encore, appelée *Notre-Dame de bonnes nouvelles*. A vrai dire, il ne s'agit pas de changer le nom d'une rue tous les deux cents mètres; il s'agit, au contraire, de conserver les noms des lieux qui existaient au moment où on a aménagé la rue.

— Tout cela est très évocateur du passé, répond Bill, mais ce n'est guère pratique. Je préfère de beaucoup le système que nous employons dans certaines de nos villes d'Amérique, à New York par exemple, où tout le monde sait que la Quarante-septième rue est juste entre la Quarante-sixième et la Quarante-huitième. Pas d'incertitude possible. D'un point donné à un autre, on peut même presque exactement calculer la distance.

— Vous autres Américains, vous êtes pratiques. Voilà tout!

[6] Il l'est, *it is.* "l' " refers to "Indispensable."

— Mais, mon cher Raymond, vous autres Français, vous êtes très fiers d'avoir inventé le système métrique. Vous en vantez[7] justement la commodité, la simplicité. Or, je vous ferai remarquer que notre système de désignation des rues et des avenues est l'application d'une espèce de système métrique à l'aménagement des villes.

— C'est assurément très sensé, Bill. Est-ce que toutes les villes américaines ont le même système?

— Non, hélas. Je dois avouer que même à New York il y a des quartiers où les rues portent des noms comme à Paris. On peut facilement y perdre son chemin.

— Vous serez obligé d'admettre aussi que certaines rues de Paris ont un nom fort pittoresque. Connaissez-vous la *rue du Chat qui pêche?*

[7] Vous en vantez . . . la commodité, *you boast of its convenience.* Note that "vanter" takes a direct object.

Ancienne porte de Paris, maintenant sur les Grands Boulevards

— Non. C'est un nom assez inattendu. D'où vient-il?

— C'est un vestige de la réclame commerciale d'autrefois, du temps où magasins et boutiques étaient ornés d'enseignes peintes destinées[8] à attirer les clients — dont la plupart ne savaient pas lire. Il y avait dans cette rue-là une enseigne peinte, qui montrait un chat en train de pêcher — sans doute l'enseigne d'un marchand de poisson. Les noms de lieu sont extrêmement durables. 5

— J'ai remarqué que beaucoup de rues portent le nom d'un saint. Est-ce que tous ces saints habitaient autrefois à Paris?

— Mais non! Le vieux Paris était couvert d'églises, de couvents qui portaient des noms de saints et de saintes. D'ordinaire les vieilles rues conservent leurs vieux noms traditionnels. 10

— Donc la *rue Saint-Étienne* est tout simplement l'endroit où il y avait autrefois une église Saint-Étienne?

— Sûrement. D'ailleurs saint Étienne vivait à l'époque biblique. C'était le premier des martyrs chrétiens. Il habitait à Jérusalem, si je ne me trompe.[9] 15

— Vous êtes une véritable mine de renseignements!

— A l'époque moderne, continue Raymond, lorsque la capitale s'est agrandie et transformée, il a fallu trouver des centaines de noms nouveaux. Avec une impartialité remarquable, on a distribué les 20

[8] Destiné à, *intended for.* (NOT "destined.")

[9] Si je ne me trompe, *if I am not mistaken.* In this expression, the "pas" of "ne . . . pas" is usually omitted.

Y eut-il là autrefois un arbre mort?

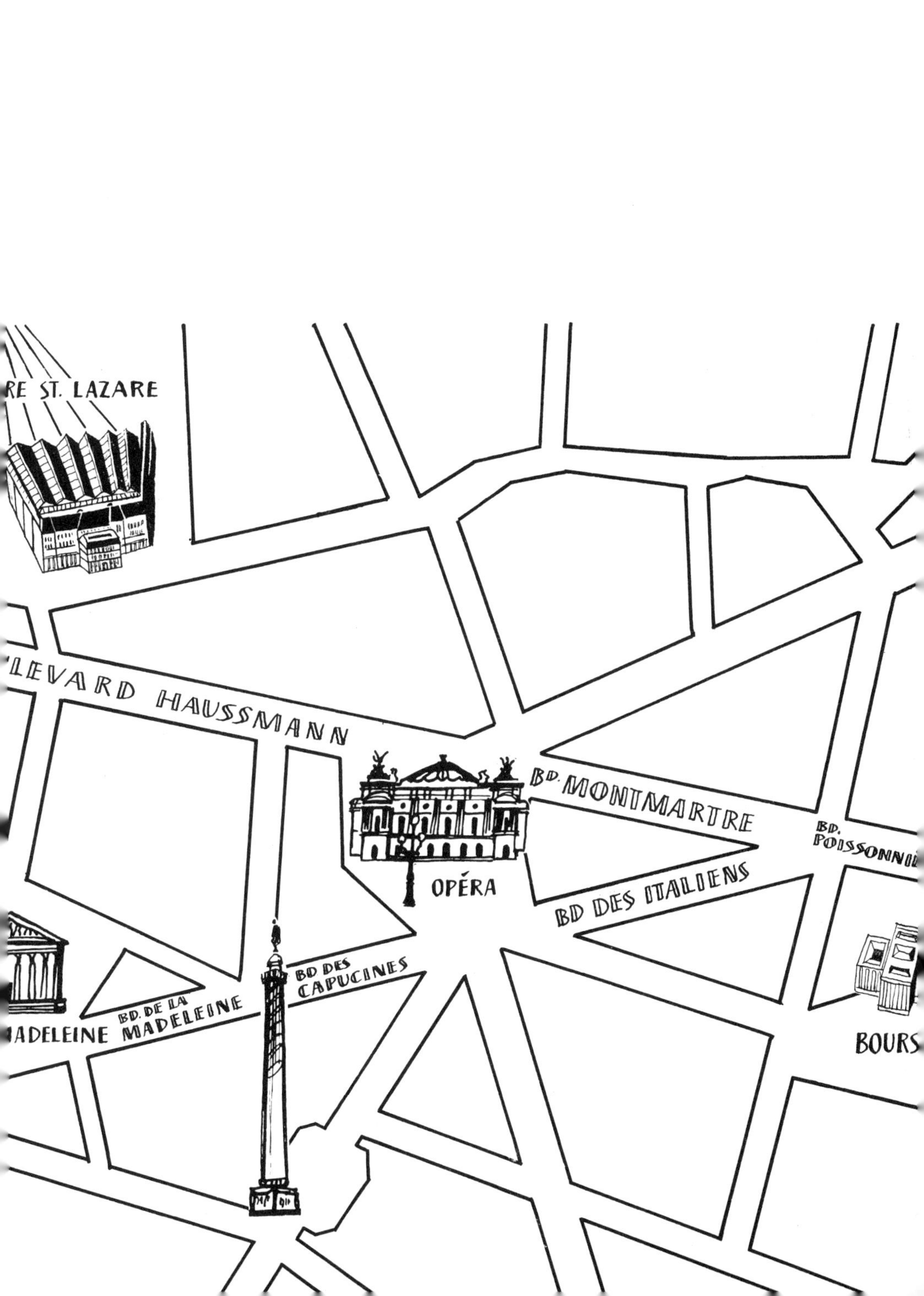

RE ST. LAZARE
LEVARD HAUSSMANN
OPÉRA
BD. MONTMARTRE
BD. POISSONNI
BD DES ITALIENS
BD DES CAPUCINES
BD. DE LA MADELEINE
ADELEINE
BOURS

noms de rues et d'avenues parmi les écrivains, les savants, les artistes, les généraux, les hommes politiques de tous les temps et de tous les pays. Quelques-uns de vos compatriotes ont leur rue à Paris.

— Je connais l'*avenue du Président Wilson*. Y en a-t-il d'autres?

— La ville de Paris a également honoré Washington, Lincoln, Roosevelt, Kennedy, et Rockefeller, dont le nom, par une regrettable erreur, est devenu «Rockfeller.»

— A-t-on pu trouver assez d'illustres personnages pour nommer toutes les rues de Paris?

— Il faudrait évidemment de l'érudition pour identifier quelques-uns d'entre eux. Le *boulevard Raspail*, par exemple, est une des grandes artères parisiennes. L'illustre personnage qui a donné son nom à ce boulevard a fait beaucoup pour la chimie et pour le suffrage universel, mais il est moins connu aujourd'hui que son boulevard. A vrai dire, il n'est plus guère connu que[10] par son boulevard.

— J'ai une idée, dit Bill, avec un sourire: on pourrait procéder tous les cinquante ans à une révision générale des noms des rues, un peu comme l'Académie Française procède à la révision de son *Dictionnaire!*[11]

— L'idée ne serait pas mauvaise, si elle n'était pas de nature à mettre une certaine confusion dans les habitudes. C'est pourquoi je préfère les vieux noms pittoresques, ceux qui signifient ou qui évoquent quelque chose, comme la *rue de l'Arbre Sec*, la *rue du Bac*,[12] ou la *rue des Mauvais Garçons*.

[10] Il n'est plus guère connu que, *he is scarcely known now except*. Ne . . . plus, *no longer*. Ne . . . guère, *scarcely*. Ne . . . que, *only*. The three expressions are frequently combined in this way.

[11] The French Academy has published a series of dictionaries from 1694 to the present. Revision goes on continually but a new edition is produced only every fifty years or so.

[12] Le bac, *the ferry*. This street, on the Left Bank, leads down to the Pont Royal, but its name reminds one that the river used to be crossed by ferry.

L'église Saint-Germain-l'Auxerrois existe encore

La Troisième République
fut proclamée le 4 september 1870

— Où se trouve cette rue au nom sinistre?

— Près de la Sorbonne. Je me demande si ces «mauvais garçons» n'étaient pas des étudiants de l'Université . . . Mais, à propos de noms sinistres, mon père m'a dit qu'il y avait à Amiens une vieille rue qui portait le nom de *rue des Corps Nus Sans Tête.*[13] Que pensez-vous de ça?

— Franchement, déclare Bill, je pense que votre père a lu trop de romans policiers . . .

[13] Corps Nus Sans Tête, *naked corpses without heads.* Many names of streets in Paris seem strange to us: la rue du Pot-de-Fer, *(Iron Pot),* la rue des Vinaigriers *(Vinegar makers),* la rue du Quatre-Septembre (the date of the founding of the Third Republic), etc.

21 *Un Sport inusité*[1]

Sur la table, dans la chambre de Raymond, Bill remarque un jour plusieurs livres relatifs à la spéléologie.[2]

— Qu'est-ce que c'est que la spéléologie? demande-t-il à Raymond. Il s'agit sans doute d'une science nouvelle. Il y a tant de sciences nouvelles et tant de mots qui finissent en -LOGIE que je ne devine pas du tout ce que cela veut dire.

— La spéléologie, répond son ami, est à la fois une science et un sport. La science, c'est l'étude de la formation des grottes et des cavernes naturelles. Le sport, c'est leur exploration.

— Oh! oui, répond Bill. J'ai lu dans une revue américaine que ce sport était populaire en France.

— Populaire, c'est beaucoup dire, explique Raymond. Descendre, à l'aide de cordes ou d'échelles flexibles,[3] parfois à des milliers

[1] Inusité, *unusual.*

[2] La spéléologie, *the study of caves, speleology.* The science has long been practiced in France.

[3] A l'aide de cordes ou d'échelles flexibles, *with the help of ropes or rope ladders.*

de pieds sous terre, n'est pas exactement un sport pour les amateurs. Beaucoup de gens parlent de la spéléologie, mais ceux qui la pratiquent sont moins nombreux.

— Vous êtes, si je devine bien, un de ceux qui la pratiquent?

5 — De temps en temps. J'ai un camarade qui est non seulement fanatique de ce sport, mais qui est aussi très expérimenté dans l'art des explorations souterraines. Je l'ai accompagné plusieurs fois dans ses expéditions.

— Y a-t-il assez de grottes et de cavernes pour tout le monde?

10 — Oui. Elles sont très nombreuses dans certaines régions de la France, notamment à l'ouest du Massif Central.[4] Il y a là des plateaux calcaires où l'on trouve énormément de grottes naturelles. Vous avez entendu parler de l'homme de Cro-Magnon,[5] n'est-ce pas?

[4] Le Massif Central: a vast plateau which occupies about one fifth of the total area of France.

[5] L'homme de Cro-Magnon: a prehistoric man whose skeleton was found near a place called Cro-Magnon in the Dordogne region.

Il y a là énormément de grottes naturelles

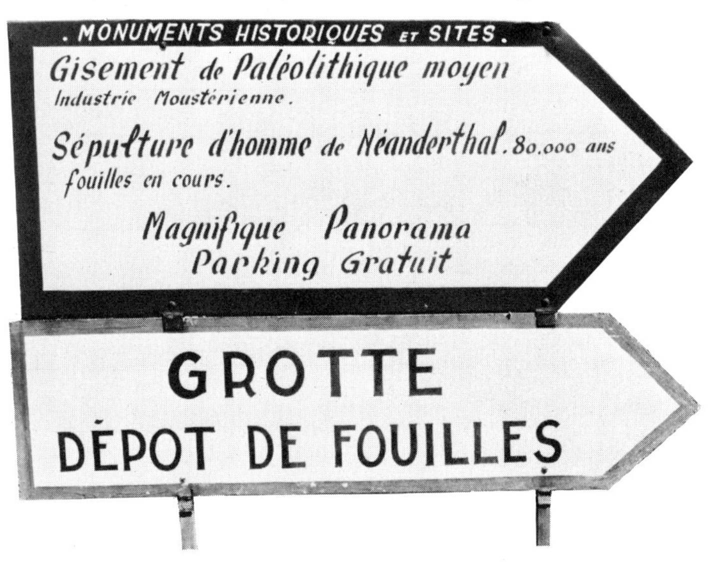

— Naturellement. Il occupe une place d'honneur dans tous les manuels d'anthropologie. J'ai même vu ses os au Musée de l'Homme[6] dans le Palais de Chaillot.

Près de l'entrée de la célèbre grotte de Lascaux

— Eh bien, il a habité avec ses contemporains, il y a plus de 20.000 ans, dans des grottes le long des rivières, pas très loin de la ville actuelle[7] de Bordeaux.[8] Notre région du Périgord, célèbre pour ses truffes,[9] l'est aussi pour ses anciens troglodytes.[10] C'est là qu'on a découvert ces merveilleux dessins d'animaux préhistoriques avec lesquels nos lointains ancêtres décoraient leurs demeures. Il paraît même que ces gens-là avaient des yeux meilleurs que les nôtres: il a fallu attendre[11] la découverte de la photographie pour reproduire les mouvements des animaux aussi exactement qu'ils l'ont fait[12] dans leurs dessins.

[6] Le Musée de l'Homme: a rich anthropological museum which occupies a part of the Palais de Chaillot.

[7] Actuelle, *present-day*. (NOT actual.)

[8] Bordeaux is one of the leading French cities. At the mouth of the Garonne, in the heart of a great winegrowing district, it is an important shipping center.

[9] Une truffe, *a truffle*. A remarkably fine flavored mushroom that grows entirely underground. Truffles can be located only with the help of pigs or dogs that have been trained for the purpose.

[10] Troglodyte, *cave dweller*.

[11] Il a fallu attendre . . . pour, *not until . . . could we* (lit.: *It was necessary to wait for . . . in order to*).

[12] Ils l'ont fait, *they did*. The "l'" refers to the phrase "reproduire les mouvements des animaux."

— C'est peut-être grâce à l'excellence de leur vue que vos lointains ancêtres ont été de si grands artistes. Mais visiter les grottes où ils ont vécu entourés de leurs œuvres artistiques me paraît être une variété de tourisme plutôt qu'un sport véritable.

5 — Vous avez tout à fait raison. Mais vous pensez aux cavernes qu'on a aménagées pour les touristes. On visite les grottes de l'homme de Cro-Magnon comme on visite les châteaux des rois de France. Le sport commence lorsqu'il s'agit de visiter des lieux souterrains où l' homme moderne n'a jamais pénétré. L'exploration 10 d'un gouffre profond offre toutes les satisfactions de l'alpinisme, avec quelque chose de plus, l'attrait du mystère. Descendre dans l'inconnu, dans un gouffre noir dont on ne sait où est le fond est un sport passionnant.

— Qu'est-ce que vos parents pensent de ce genre de distraction?

15 — Ils me disent que je vais évidemment me casser le cou, un jour ou l'autre. En réalité, les accidents sont rares.

— Y a-t-il quelquefois des accidents?

— Si une corde ou une échelle est mal attachée, on risque de dégringoler au fond du gouffre. Il y a surtout le danger de l'eau 20 et des avalanches.

— Y a-t-il des avalanches souterraines? Cela me fait peur rien que d'y penser.

— Bien sûr. Vous avez visité des cavernes, n'est-ce pas?

— Oui, deux ou trois fois, en Amérique, l'espèce de caverne où 25 l'on paie un dollar à l'entrée, des cavernes avec électricité, ascenseurs, ponts pour ne pas se mouiller les pieds, souvenirs à vendre, etc.

— Vous savez en tout cas que les cavernes sont très humides. L'eau s'infiltre constamment à travers le sol, forme des poches,[13] des cours d'eau souterrains. Le moindre choc suffit parfois à provoquer 30 une inondation. Lorsqu'on est suspendu à une corde, il est peu plaisant de recevoir tout à coup sur la tête une cataracte, accompagnée de terre et de pierres.

[13] Forme des poches, *collects in pockets.*

— J'en suis sûr! Mais sans parler de ces surprises désagréables, qu'est-ce que vous découvrez au cours de vos explorations? Je ne vois pas bien l'attrait de ce sport.

— Quelquefois on voit des spectacles extraordinaires qui vous donnent l'impression d'être dans un palais enchanté. J'ai vu des stalactites et des stalagmites de toute beauté, blanches comme la neige ou colorées des nuances les plus délicates. Vraiment, Bill, tout y est primordial, silencieux et pur. 5

— Trouvez-vous trace de vie au fond de vos cavernes?

— Oui, une flore et une faune bizarres,[14] des mousses étranges, des poissons sans yeux, sans compter bien entendu les chauves-souris qui sont les hôtes ordinaires des cavernes... Devinez ce qui, un jour, à plusieurs centaines de pieds sous terre, m'a littéralement frappé de terreur. 10

— Je ne sais pas, moi. Un monstre préhistorique? Un dinosaure oublié qui s'avançait lentement en vous regardant avec de petits yeux méchants? 15

— Pas du tout, un vulgaire lapin[15] qui a pris la fuite à mes pieds... J'avais si peur que j'ai failli tomber dans une mare.

— Qu'est-ce que ce lapin faisait là? 20

— Je suppose qu'il était venu passer l'après-midi à la fois[16] au frais et à l'abri des chasseurs.

[14] Note that "bizarres" is plural to agree with *flora* and *fauna* which are both singular in French.

[15] Une vulgaire lapin, *an ordinary rabbit.*

[16] A la fois au frais et à l'abri, *both where it was cool and where he was safe.*

Ces merveilleux dessins d'animaux préhistoriques

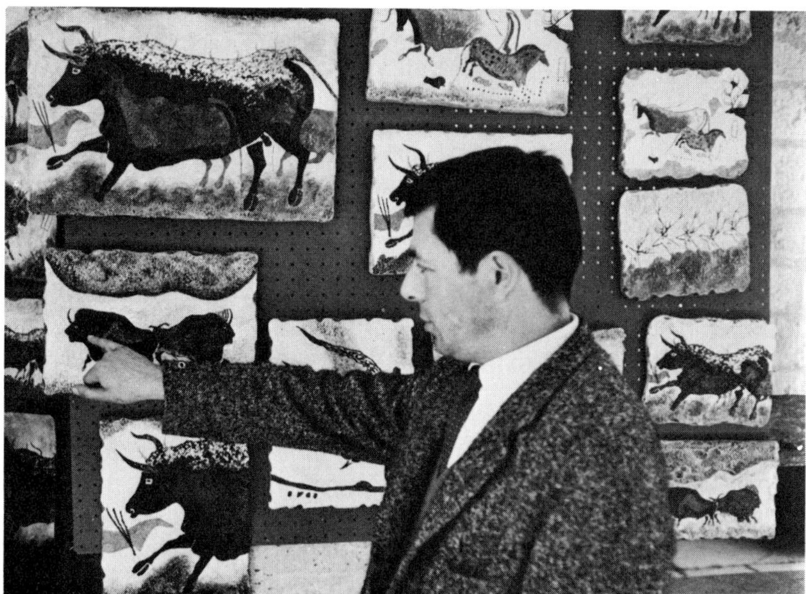

Un de nos lointains ancêtres

—Allez-vous écrire un livre sur vos explorations souterraines? Vous devriez le faire. Les livres de ce genre sont toujours à la mode.

—Je n'y ai pas pensé... Mais voulez-vous venir avec moi la prochaine fois que j'explorerai une caverne?

5 —Non, merci. Vous me faites penser à un de mes amis en Amérique, skieur émérite et spécialiste du saut à haute altitude. Je ne suis, moi, ni l'un ni l'autre. «Cela ne fait rien,» m'a-t-il expliqué, «sautez tout de même. Une fois qu'on est parti,[17] ça va tout seul, il n'y a plus moyen de s'arrêter.» Je lui ai répondu que 10 c'était là précisément ce qui me gênait. En ce qui concerne l'exploration des cavernes, mon cher ami, j'attendrai avec impatience votre premier livre à ce sujet.

[17] Partir, *to start*. Here it means, of course, *get into the air*.

lundi

22

Le Vieux Paris

Je n'ai pas besoin de vous annoncer que Paris est une très belle ville, dit Ann à Bill, un après-midi qu'elle traverse avec lui le Jardin des Tuileries.[1] Vous le savez mieux que moi. Mais n'êtes-vous pas étonné de voir combien Paris, qui a été bâti à toutes les époques, forme un ensemble agréable et homogène? Qu'est-ce que vous en pensez, vous qui êtes architecte et spécialiste d'urbanisme?[2] 5

— Il faut avouer qu'on trouve bien çà et là à Paris, des rues, des quartiers même qui n'offrent pas grand intérêt. Mais toute la partie centrale, qui est pourtant la plus ancienne, est un chef-d'œuvre d'aménagement. Considérez l'endroit où nous sommes en ce moment. Le Palais du Louvre,[3] le Jardin des Tuileries, la Place de la Concorde, l'avenue des Champs-Élysées,[4] avec, dans le lointain, l'Arc de Triomphe,[5] constituent, à mon avis, une des Sept Merveilles du monde actuel. Le plus étrange, c'est que tout cela a été aménagé à différentes époques, sans plan préétabli. C'est le résultat d'un travail de construction et de démolition qui a duré quatre cents ans. Vous savez comment Paris s'est développé, n'est-ce pas? 10 15

[1] Le Jardin des Tuileries is a beautiful park with formal gardens extending along the Seine from the Louvre to the Place de la Concorde—almost a kilometer in length.

[2] L'urbanisme, *city planning*.

[3] Le Palais du Louvre, *the Louvre*. The palace of kings of France is now used to house parts of the government and an immense collection of works of art.

[4] L'Avenue des Champs-Élysées: a broad avenue connecting two of the handsomest monumental squares in Paris.

[5] The Triumphal Arch is impressive both by its size (approximately 133 ft. high) and its decoration. It was planned by Napoleon as a memorial to the armies of the Empire but it was completed long after Napoleon's death and has become a sort of symbol of the French national honor.

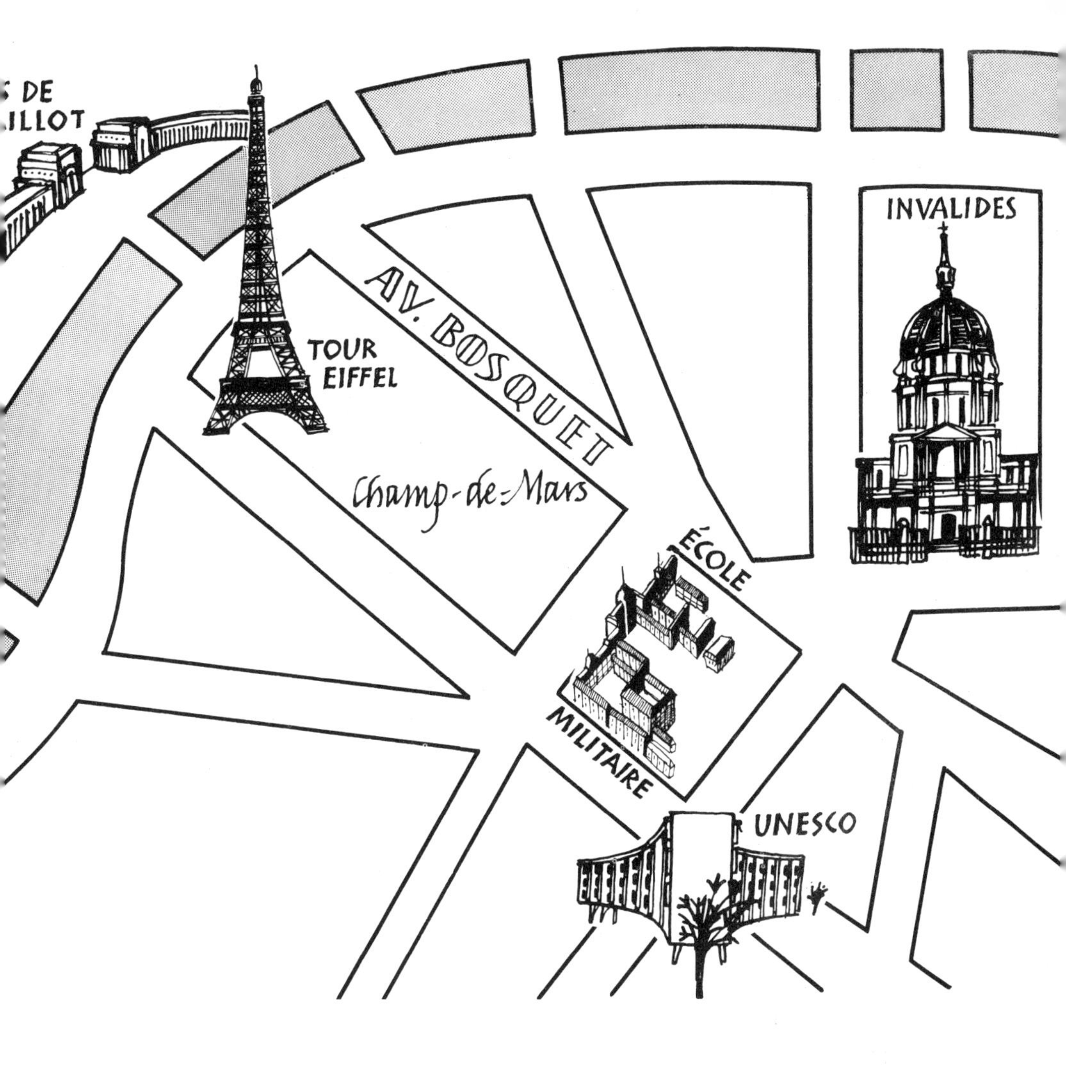

— Plus ou moins. Je sais qu'avant l'arrivée des Romains, la petite île au milieu de la Seine, maintenant l'Île de la Cité, était occupée par les huttes d'une tribu gauloise, les Parisii; que les Romains ont donné à cet endroit le nom de Lutèce et ont construit
5 dans le voisinage quelques monuments[6] qui existent encore en partie; puis que peu à peu, devenue Paris, la ville s'est étendue sur les deux rives de la Seine.

[6] The only considerable traces of Roman building in Paris today are the Baths, adjoining the Cluny Museum, and the Arena and Theatre, near the Jardin des Plantes.

— C'est ça. Vous savez que l'âge d'un arbre est indiqué par une série de cercles concentriques, dont chacun représente la croissance d'une année. Eh bien, Paris a grandi un peu de la même manière. A mesure que la ville s'est développée, on l'a entourée de plusieurs enceintes successives. Mais on n'a pas toujours démoli immédiatement les vieilles fortifications. Vous connaissez peut-être la vieille rue qui descend du Quartier Latin vers la Seine et qui porte le joli nom de *rue Monsieur le Prince?*

— Mais oui. J'ai remarqué ce nom l'autre jour, en allant chez mon libraire.

— Pour aménager cette rue, au temps de Louis XIV, on a démoli une vieille muraille flanquée de tours, qui faisait partie des fortifications construites au moyen âge. Imaginez la joie des enfants qui pouvaient grimper sur ces vieilles tours, et aussi l'inquiétude de leurs mères.

— Est-ce que toutes les fortifications de Paris ont maintenant disparu?

— Complètement. Devenus inutiles, murs et châteaux forts[7]

[7] Un château fort, *a fortified castle.*

Fontaine, Place de la Concorde

ont été démolis. La Bastille a été détruite à la suite de la fameuse journée du 14 juillet. Les fortifications plus modernes ont été remplacées par des boulevards. C'est ainsi que les grands boulevards actuels suivent à peu près la ligne des murs qui protégeaient la partie nord de Paris au dix-septième siècle.

— Voulez-vous dire qu'au temps de Louis XIV Paris ne s'étendait pas au delà de la ligne actuelle des grands boulevards?

— A peine. A côté de la Porte Saint-Denis, que vous avez remarquée sur les grands boulevards, il y avait encore des moulins à vent et des fermes. Bien entendu, la Place de la Concorde et l'avenue des Champs-Élysées n'existaient pas à ce moment-là. On a commencé à aménager la Place de la Concorde seulement au dix-huitième siècle.

— N'est-ce pas sur cette place que, pendant la Révolution, se dressait la guillotine?

— Oui, c'est là que pendant plusieurs mois, on a exécuté des aristocrates, et aussi des gens qui ne l'étaient pas.[8] C'est pour effacer tous ces mauvais souvenirs qu'on a donné plus tard à cette place le nom de la Place de la Concorde.

— La guillotine est un étrange moyen d'établir la concorde . . .

— Ici, près du Louvre, continue Bill, nous sommes plus ou moins dans le Paris des rois de France. Là-bas, autour de l'Arc de Triomphe, on est plutôt dans le Paris de Napoléon. C'est lui qui a eu l'idée de bâtir un beau monument à sa gloire personnelle. L'arc de triomphe est au centre d'une espèce d'étoile formée par douze belles avenues qui portent les noms de ses victoires ou de ses généraux. D'où[9] le nom Arc de Triomphe de l'Étoile[10] . . . Naturellement, tout cela a beaucoup changé depuis le temps de Napoléon.

— Est-ce que Napoléon a rapporté d'Égypte l'obélisque que nous voyons là-bas?

[8] The "l' " refers to "aristocrates."
[9] D'où, *hence* (lit.: *from where*).
[10] There is a smaller arch called the Arc de Triomphe du Carrousel between the Louvre and the Jardin des Tuileries.

Près du Louvre, nous sommes dans le Paris des rois de France

— Mais non! Le vice-roi d'Égypte l'a offert à Louis-Philippe en 1831. Vous voyez que cette partie de Paris est moins ancienne que quelques quartiers de Boston ou de Philadelphie.

— J'ai entendu dire qu'un certain Haussmann a embelli Paris. Qu'est-ce qu'il a fait?

— C'est lui qui, en qualité de préfet de la Seine il y a cent ans, a fait de Paris une ville vraiment moderne. Avant lui, certains quartiers de la ville étaient encore un dédale de rues étroites et tortueuses. On raconte qu'il a pris un plan de Paris et une règle; avec cette règle il a tracé d'un point à un autre une ligne droite, qui est devenue une avenue nouvelle.

— Est-ce que Paris n'a pas changé depuis Haussmann?

— La ville s'est étendue dans tous les sens, bien entendu. Mais le centre de Paris est resté à peu près le même, au grand ennui de ceux qui ont maintenant à résoudre le problème de la circulation parisienne. Un des coins de la ville qui s'est le plus transformé est le voisinage de la tour Eiffel.

— Mais la tour Eiffel est déjà assez vieille, n'est-ce pas?

— Elle a été bâtie à l'occasion de l'Exposition Universelle de 1889. Un ingénieur français, Gustave Eiffel, a construit alors cette tour, haute de trois cents mètres, comme un monument à l'âge

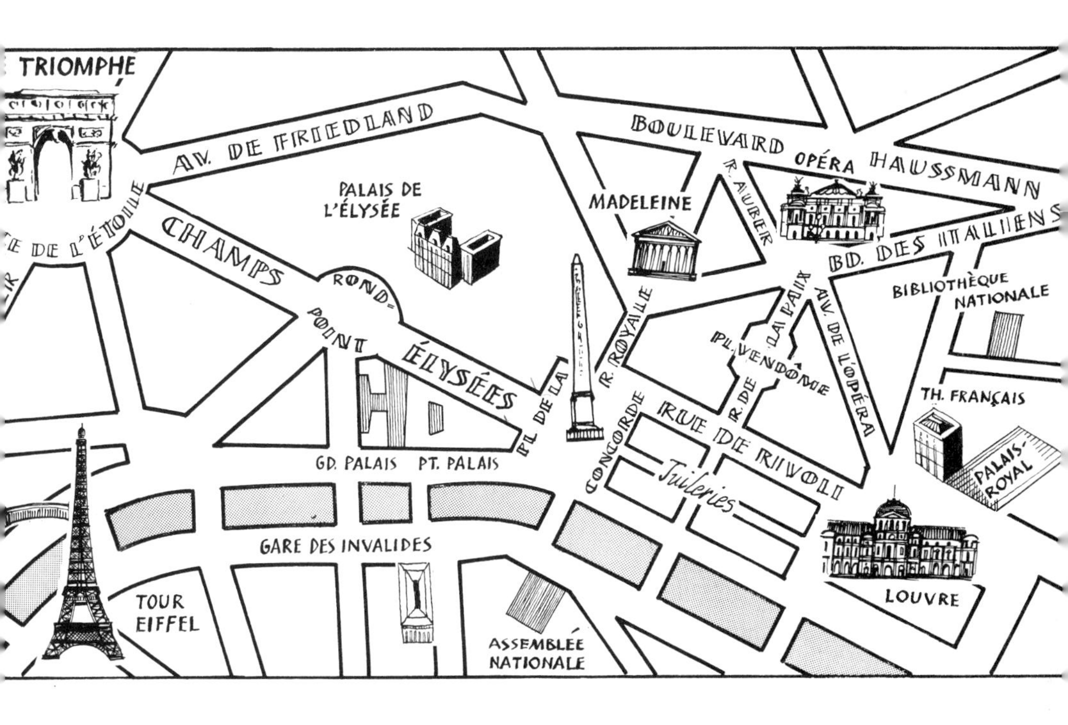

nouveau du fer et de l'acier. La plupart des visiteurs de l'Exposition l'ont trouvée admirable. D'autres ont déclaré que c'était une véritable horreur. Les protestations sont devenues si nombreuses et si fortes qu'au début du vingtième siècle on a été sur le point de
5 démolir la tour Eiffel. Ce qui l'a sauvée, c'est la découverte de la T. S. F.[11] On y a établi un poste émetteur puissant et, plus récemment, un phare[12] pour avions.

[11] La T. S. F., *radio*. (The letters stand for "Télégraphie sans fil," equivalent to "Wireless telegraphy.")
[12] Un phare, *a beacon*. We have also seen that this word is used for the headlight of an automobile.

— Qu'est-ce que les Parisiens en pensent maintenant?

— Leur point de vue a complètement changé. A l'heure actuelle, les esthètes eux-mêmes disent que la tour Eiffel est une construction fort élégante. Elle fait d'ailleurs si bien partie du panorama parisien que sa disparition est presque inconcevable. 5

—Ma grand-mère est allée à une exposition à Paris, mais ce n'est sûrement pas celle de 1889.

— Il y a eu plusieurs expositions près de la tour Eiffel sur le Champ-de-Mars.[13] Votre grand-mère est sans doute allée à celle de 1937. C'est à l'occasion de cette exposition qu'on a construit le 10 beau Palais de Chaillot.

— Oh! je croyais qu'il était tout nouveau... J'y suis allée plusieurs fois voir des pièces et assister aux concerts dans sa belle salle de spectacles souterraine.[14]

— Il y a là aussi un musée anthropologique fort intéressant. 15 On l'appelle le Musée de l'Homme... Mais, pour revenir à ce que nous disions, vous voyez comment s'est constitué un des plus beaux coins de Paris: à une extrémité du Champ-de-Mars, vous avez l'École Militaire, bâtiment classique du dix-hutième siècle et tout près, le bâtiment ultra-moderne de l'Unesco;[15] à l'autre extrémité, 20 la tour Eiffel, de la fin du dix-neuvième siècle; en face, sur l'autre rive de la Seine, le Palais de Chaillot, bâtiment moderne — et ces quatre constructions si différentes s'harmonisent pour constituer un ensemble extrêmement impressionnant...

— Vous avez bien fait d'avoir choisi Paris pour y faire vos études 25 d'architecture urbaine.

— J'espère qu'un jour j'aurai l'occasion d'aménager en Amérique de vastes places comme la Place de la Concorde et le Champ-de-Mars.

[13] Le Champ-de-Mars (lit.: *the Field of Mars*) was formerly a drill ground for students of the École Militaire but it is now a fine public park—about one kilometer in length.

[14] The spacious underground theatre ("la salle") of the Palais de Chaillot is used for concerts and for the performances of the Théâtre National Populaire, a repertory theatre that attempts to give good performances of good plays at prices that *anyone* can afford.

[15] Unesco: World headquarters of the United Nations Educational, Scientific, and Cultural Organization, whose mission is to promote international cooperation through the free exchange of information and ideas on education, art, and science.

Sur l'autre rive de la Seine,
le Palais de Chaillot, bâtiment moderne

Cette place fut aménagée
au début du dix-septième siècle

Plan du Rond-Point de la Défense

23

Plan d'urbanisme

Le palais du Centre National des Industries et Techniques (CNIT)

On parle beaucoup ces jours-ci du Rond-Point de la Défense,[1] dit Jack à Bill un soir qu'il trouve ce nom en lisant le journal. Qu'est-ce que c'est que ça?

— Il s'agit sans doute du plan d'aménagement et d'organisation de Paris, répond Bill. Le Rond-Point de la Défense est hors de Paris proprement dit. Il se trouve à l'extrémité d'une ligne droite de sept kilomètres de long qui part de la Place de la Concorde, remonte l'Avenue des Champs-Élysées, traverse l'Étoile et se prolonge au delà du pont de Neuilly.

— Mais qu'est-ce que c'est que ce Rond-Point de la Défense?

— Il y a là un monument qui commémore la Défense de Paris au cours du siège de 1870. Il s'agit maintenant de l'aménagement d'un nouveau quartier d'affaires, de commerce et d'habitation autour du Rond-Point actuel. L'idée est de bâtir une espèce de ville suspendue.

— J'ai entendu parler des jardins suspendus de Babylone, jamais d'une ville suspendue.

— Le plan est ingénieux et tire habilement parti[2] de la configuration du terrain. La circulation et le parking sont au sous-sol. Au-dessus, il y a une vaste plate-forme ornée de jardins, d'arbres, de massifs et réservée aux piétons. Bienheureux piétons! Plus d'autos[3] pour les écraser ni de bruit pour les assourdir! C'est cette plate-forme qui donne accès aux différents immeubles.

— Quelle sorte d'immeubles?

— Toute sorte. Ceux réservés au commerce et aux affaires sont voisins de l'axe central. Ceux destinés à l'habitation sont sur la périphérie. Il y a aussi des bâtiments pour les représentations théâtrales, les congrès,[4] les réunions culturelles et sportives, bref, une ville complète.

[1] Rond-Point de la Défense: a large traffic circle seven kilometers straight west from the Place de la Concorde. Laid out in the first place to commemorate the defense of Paris during the siege of 1870 and decorated with a large monument, it is rapidly becoming a super-modern city-within-a-city.

[2] Tire parti, *takes advantage of*.

[3] Plus d'autos, *no more cars*.

[4] Un congrès, *a convention*.

— Ces villes nouvelles sont souvent d'une monotonie désespérante. Rien n'est plus triste que ces longues séries de cubes, où l'homme semble perdre son individualité pour devenir un numéro dans l'administration municipale.

— Vous connaissez les Français. Ils ne sont pas disposés à renoncer à leur individualité et ils ont l'habitude de dire ce qu'ils pensent. On a eu soin de mettre de la variété dans l'aspect et dans la hauteur des édifices, bas pour le commerce, plus élevés pour l'habitation. Certains ont une trentaine d'étages.

— Je croyais que les Parisiens n'étaient pas en faveur de bâtiments si élevés.

— Il ne s'agit pas du centre de la ville. Dieu merci,[5] il n'est pas

Un autre plan d'aménagement qui s'appelle Maine-Montparnasse

question de bâtir un gratte-ciel dans l'Île de la Cité, à côté de Notre-Dame! Pourtant, on va en construire un, et de cinquante étages, à l'endroit où est maintenant la gare Montparnasse. Cela fait partie d'un autre plan d'aménagement qui s'appelle Maine-Montparnasse.[6] Et il y a encore d'autres plans. C'est ainsi qu'on va transformer le quartier du Marais,[7] tout neuf[8] sous Louis XIV, mais de nos jours

[5] Dieu merci: a very mild exclamation that may be translated: *Thank Heaven* or just: *After all!*

[6] The Maine-Montparnasse development is taking the place of a vast, blighted area around the Montparnasse railroad station and to the west of it. No very notable historical monuments will be sacrificed by this development.

[7] The Marais (lit.: *the swamp*) is so called because the land used to be frequently flooded by the Seine. It was drained in the 17th century and was built up by people of means and taste. Many of the old and handsome houses remain to this day and it will be very difficult to avoid destroying many fine old houses. For a long time it was the heart of old Paris and was the best preserved of the old quarters when the present trend to slum-clearance got under way.

[8] "Neuf," as opposed to "nouveau," stresses the fact that the quarter had just been built. However, one could also say "tout nouveau."

assez délabré. On parle aussi de démolir les Halles actuelles pour en bâtir de nouvelles en dehors de Paris.

— Démolir les Halles? Pourquoi faire disparaître un des endroits les plus pittoresques de Paris? Si les Halles n'existaient plus, où les touristes et même les Parisiens iraient-ils prendre une soupe à l'oignon à trois ou à quatre heures du matin?

— Évidemment, ce serait ennuyeux pour ceux qui vivent la nuit, mais plus commode pour ceux qui vivent le jour.

— Comment cela?

— Les Halles sont une cause perpétuelle d'un de ces embouteillages monstres comme on n'en voit qu'à Paris.

— Vous exagérez. Tout bon embouteillage n'est pas nécessairement de Paris. On en voit souvent à New York.

— Peut-être. Mais enfin, sans compter le tintamarre dont elles sont responsables et qui n'est pas toujours agréable pour les habitants du quartier, les Halles sont mal situées, au cœur même de la ville. Jour et nuit, les rues voisines sont encombrées de voitures de toute sorte, de camions chargés de viandes et de légumes, de paniers de pommes ou de poissons. Vous savez ce que c'est que d'aller en auto près des Halles vers huit heures du matin. N'oubliez pas qu'il y a plus de deux millions d'automobiles à Paris ou dans les environs.

— Ce n'est pas une raison pour démolir les Halles. On pourrait essayer de résoudre autrement le problème de la circulation.

— On a essayé, et on essaie encore tous les jours.

— Sous prétexte de moderniser Paris, il ne faut pas faire que la ville perde même un peu de son charme. Beaucoup de gens regretteraient la disparition des Halles et ils n'auraient pas tort.

— D'accord. Souvenez-vous pourtant que le dernier grand plan d'urbanisme parisien est vieux de cent ans. C'est celui d'Haussmann. On a reproché non sans raison à Haussmann d'avoir mutilé le vieux Paris, d'avoir détruit plus de 27.000 maisons et bâtiments sans aucune considération de leur intérêt historique ou artistique afin d'aménager ses avenues, ses boulevards et ses parcs. Pourtant, imaginez ce que serait la circulation parisienne si Haussmann n'avait pas mutilé le centre de la ville. L'idée seule fait frémir ... On parle maintenant de détruire 80.000 maisons considérées comme taudis.

— Taudis? Que veut dire ce mot «taudis»?

— Ce que nous appelons «slums» en Amérique.

— Mais il y a taudis et taudis. Sous prétexte qu'elle n'a ni salle de bains ni chauffage central, ni même eau courante, allez-vous démolir une maison où a habité Victor Hugo ou une autre dont la façade est ornée de belles sculptures datant de la Renaissance?

— Ne craignez rien. Les Français se rendent parfaitement compte de la difficulté. Le fait reste que trop de maisons parisiennes ont été construites au XIXe siècle, à une époque où l'on recherchait souvent le bon marché dans la construction, et que pour diverses raisons, ces maisons n'ont pas toujours été très bien entretenues. Enfin, l'agglomération parisienne compte maintenant plus de huit millions d'habitants.

— Croyez-vous que détruire 80.000 maisons soit un moyen de résoudre la fameuse crise du logement?

— Oui, en partie. Pourquoi pas? si ces maisons sont remplacées par d'autres qui peuvent abriter plus de familles? Paris, surpeuplé, a besoin d'air et d'espace. On fait de grands efforts pour les lui donner.

— Quoi, par exemple?

— On encourage les industries parisiennes à émigrer en province[9] en leur accordant toute sorte d'avantages, au point de vue du transfert de leur établissement, des impôts, etc. Le terrain laissé ainsi vacant est utilisé pour rendre le quartier plus agréable. On en fait

[9] En province, *outside of Paris* (lit.: *in the provinces*). We have seen that "la province" means all of France except Paris.

On en fait un petit parc, on y plante quelques arbres

un petit parc, on y plante quelques arbres... En outre, il est maintenant interdit de construire des usines nouvelles dans la capitale. Au point de vue de l'industrie comme de la population, il y a un certain manque d'équilibre entre Paris et la province. La France n'a que 25 villes de plus de 100.000 habitants. Les petites villes sont trop nombreuses, et toute la partie centrale du pays n'a aucun véritable centre urbain. De plus en plus, on essaie de décentraliser les gens et les établissements industriels.

— Ce qui me frappe souvent, c'est l'analogie qui existe entre les problèmes actuels en France et aux États-Unis.

— Que voulez-vous![10] Ces problèmes sont communs aux pays industrialisés. Bon gré mal gré, nous vivons dans un monde en pleine croissance et en pleine transformation.

[10] Que voulez-vous! *Don't be surprised!* OR *After all!* (NOT What do you want?)

24

Conversation sur l'économie

Voilà des cultivateurs[1] qui paraissent très mécontents, dit un jour Bill à M. Brégand. Voyez cette photo. En signe de protestation, ils viennent de décharger des camions d'artichauts au milieu de la rue.

— C'est un résultat de la surproduction, répond M. Brégand. Notre agriculture s'est tant développée au cours des dernières années qu'elle a maintenant des surplus parfois considérables. Malgré les efforts du gouvernement pour contrôler les prix, des cultivateurs, surtout ceux qui sont spécialisés dans une certaine culture,[2] ont de la peine à joindre les deux bouts.

[1] Cultivateurs, *farmers.* A "cultivateur" would be annoyed to be referred to as a "paysan" (*peasant*)—which suggests the ignorant and impoverished farmers of long ago.
[2] Une certaine culture, *a single crop.*

Siège du Marché Commun à Bruxelles

— Pourquoi cette surproduction soudaine? Je croyais que l'agriculture française était à peu près adaptée aux besoins du pays.

— C'est comme chez vous aux États-Unis. On a voulu augmenter la production et on a trop bien réussi. Les techniques agri-
5 coles se sont développées, l'agriculture s'est motorisée. Quand il s'agit de produits industriels, la prospérité qui accompagne d'ordinaire l'accroissement de la production augmente indéfiniment la consommation. Il y a toujours des gens prêts à acheter une auto ou un réfrigérateur. Mais on ne peut pas manger indéfiniment des
10 artichauts.

— Est-ce que d'autres pays d'Europe ont des difficultés semblables?

— Plus ou moins. Tous s'efforcent de protéger leur agriculture contre la concurrence étrangère, et cela se comprend: même si la France n'est plus du tout, comme on le dit encore, un pays surtout
15 agricole — les cultivateurs ne sont plus que 25 pour cent de ceux qui travaillent — la prospérité du pays est inséparable de la prospérité des campagnes. L'importation des produits agricoles est une cause de difficultés, même à l'intérieur du Marché Commun.[3] Comment établir un prix uniforme pour le blé, par exemple, alors
20 que le coût de la production varie d'un pays à l'autre?

— Est-ce que cette observation ne s'applique pas tout aussi bien aux produits industriels?

— Pas exactement. Il y a plus d'uniformité dans le coût des produits industriels, puisque les six pays du Marché Commun tra-
25 vaillent dans des conditions semblables au point de vue des matières premières et de la main-d'œuvre.[4] D'autre part, chaque pays peut

[3] Le Marché Commun, *the Common Market*. Also known as the European Economic Community or the E. E. C. The six countries in the European Coal and Steel Community (France, West Germany, Italy, Belgium, Netherlands, and Luxembourg) signed a treaty in Rome on March 25, 1957 to create an economic union. It went into effect in 1959 and substantial reductions in customs duties have already been made.

[4] La main-d'œuvre, *labor, labor supply*.

se spécialiser dans les industries qui lui conviennent le mieux. Une des raisons du succès du Marché Commun est qu'il assure, autant qu'il est possible de le faire, l'égalité économique entre ses membres.

— Comment cela?

— Le comité de direction empêche la formation de cartels[5] et l'emploi de mesures contraires au jeu de la libre concurrence.[6] Les tarifs douaniers uniformes entre les pays du Marché Commun ont déjà été beaucoup diminués et doivent éventuellement disparaître. Enfin les matières premières et la main-d'œuvre ont été en quelque sorte internationalisées.

— Si je vous comprends bien, chaque pays a renoncé volontairement à des droits qui lui appartiennent traditionnellement.

— Oui, mais les avantages de l'accord ont plus que compensé les inconvénients. Surtout, on a eu la sagesse de procéder graduellement.

— Le Marché Commun, je crois, a son origine dans un accord relatif au fer et au charbon . . .

— L'idée est venue de la géographie. On a remarqué qu'une partie considérable des ressources de l'Europe occidentale sont concentrées sur un territoire très limité, mais qui est partagé entre cinq nations, la France, l'Allemagne, la Belgique, le Luxembourg et les Pays-Bas. Ces cinq nations, plus l'Italie, ont donc conclu un accord. Désormais, une usine d'automobiles à Milan[7] pouvait

[5] Un cartel, *a trust.*
[6] Au jeu de la libre concurrence, *functioning of free competition.*
[7] Milan, the most important manufacturing center of Italy.

Beaucoup d'entreprises américaines ont construit des usines en France

acheter le fer de la Lorraine[8] ou le charbon de la Ruhr[9] au même prix qu'une usine qui fabriquait des locomotives au Creusot[10] ou à Düsseldorf.[11] Les résultats de cet accord ont été si satisfaisants que, cinq ans plus tard, l'accord a été étendu pour couvrir d'autres aspects de la vie économique.

— On dit que le Marché Commun a amené la prospérité actuelle de l'Europe occidentale.

— Il y a certainement contribué, mais en réalité les causes de cette prospérité sont complexes. En France, par exemple, les habitudes ont changé. Les gens sont plus disposés à dépenser leur argent qu'ils ne l'étaient autrefois pour jouir des conforts et des plaisirs de la vie. L'automobile n'est plus un luxe. Tandis que les générations précédentes avaient horreur des dettes, les Français commencent à acheter à crédit.

— Sans la vente à crédit, les affaires iraient sans doute très mal aux États-Unis.

[8] La Lorraine is the most important iron mining region of France.
[9] La Ruhr is the important coal mining region of West Germany.
[10] Le Creusot (Department of Seine-et-Loire) is one of the oldest metallurgic centers of France. Note that the article "le" is a part of the name of the city. Compare: Le Havre, Le Mans, La Haye, La Ferté-Milon, La Nouvelle Orléans, Les Andelys, etc.
[11] Düsseldorf is one of several great metallurgic centers in West Germany.

— Peut-être. Cependant, pas mal de Français craignent que cette habitude nouvelle ne mène tout droit à une inflation excessive. En attendant, les affaires marchent. Le Marché Commun groupe 165 millions de gens qui ont de plus en plus les moyens de se procurer ce qu'ils désirent. 5

— C'est pourquoi les États-Unis cherchent à développer leurs relations commerciales avec l'Europe . . .

— A l'heure actuelle, la France achète aux États-Unis plus qu'elle ne leur vend. D'autre part, des entreprises américaines — Westinghouse, I. B. M., et bien d'autres — ont construit des usines 10 en France, ce que quelques Français ne considèrent pas sans inquiétude.

Usine de traitement du minerai d'uranium

— Je ne vois pas pourquoi. Après tout, cela est à l'avantage de la France, en augmentant sa production industrielle, en donnant du travail à ses habitants.

Les techniques agricoles se sont développées, l'agriculture s'est motorisée

— Certains craignent pourtant une pénétration trop grande. Le même problème se pose quelque peu à propos des relations d'affaires en général entre votre pays et les pays du Marché Commun. Sauf la Belgique, les Pays-Bas et le Luxembourg, dont la population est moindre, mais qui sont étroitement liés aux trois autres par la géographie, les pays du Marché Commun sont des puissances du même ordre, au point de vue de leur populations par exemple, qui est dans le voisinage de 50 millions d'habitants. Or, les États-Unis en auront bientôt 200 millions. Certains craignent que l'équilibre des intérêts économiques qui a fait le succès du Marché Commun ne soit rompu... Ne connaissez-vous pas l'histoire du Grec et de sa lyre?

— Non.

— Un ancien Grec, dit-on, possédait une lyre admirable. Une corde se brisa. Au lieu d'en remettre une comme les autres, il y mit une corde d'argent; et sa lyre, avec sa corde d'argent, perdit son harmonie.

— Croyez-vous donc qu'un conflit d'intérêts soit inévitable?

— Pas du tout. Ce que je vous dis n'est que l'expression d'une opinion qui n'est pas nécessairement la mienne. Je suis convaincu au contraire qu'il est possible d'arriver à un accord satisfaisant pour les intérêts de tous.

25

Notre-Dame de Paris

Cette vieille cathédrale[1] qui se reflète si paisiblement dans la Seine a huit cents ans, dit Bill à Jack, un jour qu'ils font une de leurs promenades habituelles. Pensez-y un peu: on était en train de la construire à l'époque où le roi Jean sans Terre[2] accordait à ses sujets la Grande Charte[3]. . . . Cela fait penser à la brièveté de la vie humaine, n'est-ce pas? 5

— Les siècles semblent avoir passé sur elle sans l'affecter le moins du monde, répond Jack. Au moins, elle porte bien son âge,[4] comme on dit.

[1] This famous cathedral is regarded as one of the finest examples of Gothic architecture. Begun in 1163, it was completed in 1245.
[2] Jean sans Terre, *John Lackland.*
[3] La Grande Charte, *Magna Carta,* the treaty by which King John granted political and personal liberty to the English barons on June 15, 1215.
[4] Elle porte bien son âge, *she carries her age well* (Compare: to grow old gracefully).

C'étaient, il est vrai, des rois de Juda et d'Israël

— Ne vous y trompez pas,[5] explique Bill. Bien que très solidement construites, les cathédrales ont toujours besoin d'être entretenues, réparées. Elles représentent un admirable équilibre de forces que, fatalement,[6] le temps détruit peu à peu.

— En effet, regardez cet échafaudage à gauche. On est en train de réparer une des tours.

— Les hommes ont été quelquefois plus destructeurs encore que le temps, continue Bill. La vieille cathédrale a traversé bien des périodes critiques au cours de sa longue histoire.

— Lesquelles, par exemple?

— Vous voyez, sur la façade, cette longue ligne de statues qu'on appelle la galerie des Rois?[7]

[5] Ne vous y trompez pas, *don't be misled by it* (the fact that the cathedral seems to be in good condition).
[6] Fatalement, *inevitably* (NOT fatally).
[7] La galerie des Rois, *the gallery of the Kings* (of biblical times).

— Oui. Mais je dois avouer que j'ai souvent passé par ici sans la remarquer.

— Eh bien, la Révolution française a brisé toutes ces statues. C'étaient, il est vrai, des rois de Juda et d'Israël,[8] mais c'étaient des rois tout de même et la Révolution détestait les rois . . .

— Vous voulez dire que les statues actuelles sont modernes.

— Oui, elles ont été refaites au dix-neuvième siècle, comme beaucoup d'autres.

— Mais dites-moi Bill, comment les gens du moyen âge ont-ils pu bâtir un édifice aussi imposant, avec les moyens limités dont ils disposaient?[9]

— Ils avaient quelques machines, des leviers et des poulies. Surtout, ils avaient l'enthousiasme, la patience, et ils travaillaient sous la direction de maîtres très habiles dans leur art.

— Ces maîtres devaient[10] être en effet de merveilleux architectes.

— Mais non, dit Bill, il n'y avait même pas d'architecte, au sens moderne du mot. Pendant quelques années, un maître expérimenté était plus ou moins chargé de la direction du travail, puis un autre lui succédait. Ainsi chaque époque, presque chaque homme a apporté sa contribution originale à l'œuvre commune.

— Je ne vois pas comment, dans ces conditions, une cathédrale comme Notre-Dame peut présenter une telle uniformité d'inspiration.

— C'est que tous les maîtres travaillaient suivant certains principes de structure, suivant des procédés éprouvés[11] et consacrés par

[8] Juda et Israël were a part of Palestine.
[9] Dont ils disposaient, *which they had at their disposal.* "Disposer de" never means *to dispose of.*
[10] Devaient être, *must have been.*
[11] Suivant des procédés éprouvés, *according to methods that have been tested.*

On retrouve la scène du Jugement dernier dans toutes les grandes cathédrales gothiques

Détail de sculptures à Notre-Dame

l'usage.[12] Contrairement à ce qu'on croit souvent, rien n'était laissé à la fantaisie dans la construction d'une cathédrale. Le symbolisme des cathédrales avait ses règles précises, dont les détails étaient fixés par l'Église. De sorte que chaque détail était à sa place dans
5 l'ensemble.

Tout en parlant, Jack et Bill sont arrivés devant le portail central de Notre-Dame.

— Regardez par exemple cette scène du Jugement dernier,[13] continue Bill. C'est une scène que l'on retrouve dans toutes les
10 grandes cathédrales gothiques. Au bas,[14] vous avez la Résurrection.[15] Voyez-vous les morts qui sortent de leur tombe? Vous avez au-dessus la scène du Jugement, avec, au centre, un ange[16] qui pèse les âmes dans sa balance. A la droite de l'ange sont placés les élus[17] qui lèvent les yeux au ciel, tandis qu'à sa gauche d'horribles démons
15 entraînent les damnés en enfer.

— La scène est curieuse, en effet, dit Jack.

[12] Consacrés par l'usage, *ratified* or *sanctioned by usage*.
[13] Le Jugement dernier, *the Last Judgment*.
[14] Au bas, *at the bottom*. The "story" of scenes in sculpture or in cathedral windows begins at the bottom.
[15] La Résurrection: the scenes are often represented with the most stark realism —Gabriel blowing his horn, people coming out of their coffins, etc.
[16] Un ange, *an angel* (The Archangel Saint Michael).
[17] Les élus, *the elect* (those chosen for Paradise).

— Le plus curieux, c'est que, parmi les damnés, continue Bill, il y a souvent un roi, un évêque, un moine, un seigneur et un marchand.[18] Les constructeurs de cathédrales semblent avoir été parfois de bons ironistes. Mais leur principale préoccupation était d'instruire.

— D'instruire qui? demande Jack.

— Tout le monde, les grands comme les petits. N'oubliez pas que la plupart de ces gens ne savaient pas lire. La sculpture des cathédrales leur mettait sous les yeux les grands personnages et les grandes scènes de l'Ancien et du Nouveau Testament, ainsi que de la vie des saints qu'ils honoraient d'une dévotion particulière.[19]

— Comment ces gens qui ne savaient pas lire pouvaient-ils comprendre quelque chose au symbolisme très compliqué des cathédrales?

— Les prédicateurs, dans leurs sermons, expliquaient ce symbolisme aux fidèles. Il y avait même des guides qui leur montraient les scènes les plus importantes ... Mais voulez-vous voir l'intérieur de Notre-Dame? Je ne crois pas qu'il y ait de service en ce moment.

Après la brillante lumière du dehors, Jack a d'abord l'impression d'entrer dans la nuit. Peu à peu, ses yeux s'habituent à la

[18] The scene of the Last Judgment was depicted in many forms throughout the Middle Ages.

[19] Each locality had its saint, often the object of a special cult.

demi-obscurité. Près de l'autel et dans des chapelles brûlent quelques cierges. La cathédrale est presque déserte. Çà et là, dans l'immensité de la nef, il aperçoit des formes indistinctes, des gens qui prient. Une vague odeur de cire et d'encens flotte dans l'air légèrement humide. Jack et Bill marchent sans parler, lentement et avec précaution, car leurs pas résonnent sur les vieilles dalles de pierre.[20] Un geste de Bill attire l'attention de Jack sur la partie supérieure de la cathédrale. Ils admirent tous les deux la hauteur de la voûte, la solidité des piliers, la belle lumière colorée des vitraux et des roses. Puis, après avoir fait le tour de la nef, les deux amis, toujours silencieux, ressortent dans la lumière du soleil.

[20] Les dalles de pierre, *stone paving blocks.*

Au centre, un ange qui pèse les âmes dans sa balance

26

Ils regardent passer les gens, s'ils sont seuls . . .

Plaisirs et Distractions[1]

Les cafés de Paris sont toujours pour moi un objet d'étonnement, dit Bill à Jack, un soir qu'ils descendent le boulevard Saint-Michel. Aux États-Unis, nos bars ont souvent l'air de se cacher, comme s'ils avaient honte d'exister. A l'intérieur, les gens parlent
5 à voix basse, dans une demi-obscurité. Ici, au contraire, les cafés sont brillamment illuminés. Pendant la belle saison, les gens s'installent[2] volontiers à la terrasse, où ils voient tout le monde et où tout le monde peut les voir.

— Le café occupe dans la vie des Français une place qu'il
10 n'occupe pas dans la nôtre, répond Jack. La plupart de ceux qui vont au café y vont moins pour prendre quelque chose que pour causer, s'ils sont en groupe, pour lire ou pour regarder passer les autres, s'ils sont seuls. On a dit avec humour[3] que, le dimanche, la moitié de la France regarde l'autre moitié.

15 — Est-ce que ces gens-là n'ont rien de mieux à faire?

— Je parle du dimanche. En semaine, les Français travaillent tout autant que nous. Mais, après la fermeture du magasin ou du bureau, ils vont volontiers passer une heure au café, avant de rentrer chez eux. Ils y trouvent une distraction, une détente.[4]

20 — L'habitude peut devenir dangereuse, dit Bill.

— Pas plus, au fond, que celle des cocktails pris à la maison. Dans un cas comme dans l'autre, c'est une question de modération. D'ailleurs, la coutume d'aller causer au café est vieille de plusieurs siècles. Connaissez-vous le Café Procope,[5] par exemple?

[1] Distractions, *amusements* (NOT distractions).

[2] S'installent, *sit down*. The difference between "s'asseoir" and "s'installer" is that the latter suggests getting comfortably settled with the intention of staying for a while.

[3] Humour: *humor wih an added touch of irony.*

[4] Une détente, *a relaxation.*

[5] Le Café Procope is on the rue de l'Ancienne Comédie on the Left Bank and boasts of having had as customers such personages as Voltaire, Diderot, Danton, Robespierre, Musset, George Sand, and many others. It dates from the 17th century.

— Non.

— Déjà au dix-huitième siècle, ce café était célèbre comme lieu de rendez-vous des gens de lettres. Et vous savez quelle place les cafés ont occupé, et occupent encore, dans le développement des mouvements littéraires et artistiques, depuis l'impressionnisme[6] jusqu'à l'existentialisme.[7]

— Vous parlez seulement de quelques cafés fréquentés par les littérateurs et par les artistes. Cela n'explique pas pourquoi tant de gens, qui ne sont ni l'un ni l'autre, ont l'habitude d'aller passer une heure ou deux au café.

— C'est que le café est en réalité un aspect de la vie sociale française, explique Jack. On y parle de tout, d'affaires, de politique, de sport, selon les intérêts de chacun. On y est au premier rang[8] pour observer le spectacle tantôt tragique tantôt comique de la vie d'une grande ville.

— Ce genre de distraction paraîtrait étrange à la plupart de nos compatriotes.

— Plaisirs et distractions sont sans doute, plus qu'on ne le pense, une affaire du milieu où l'on vit. Un Américain qui, aux États-Unis, considèrerait qu'il perd son temps s'il passait une heure assis à la terrasse d'un café, est charmé de pouvoir le faire lorsqu'il est ici. Vous me direz que rien n'est plus naturel, puisqu'il est en vacances. Mais il y a autre chose. A Paris, il se trouve dans un monde nouveau, qui lui offre des plaisirs différents de ses plaisirs habituels, qui le libère de ses soucis et aussi des contraintes de sa vie quotidienne.

[6] L'impressionnisme: one of the most productive movements in French painting in the 19th century.

[7] L'existentialisme: a philosophy of existence which stresses the importance of man as a being in the world—as opposed to the world itself of physical objects. It is a sort of humanism.

[8] On y est au premier rang, *there, one has a front-row seat.*

. . . ou ils causent, s'ils sont en groupe

La devanture d'un grand couturier parisien

— C'est peut-être en effet une des raisons pour lesquelles les étrangers se plaisent[9] tant à Paris, continue Bill. Mais ne trouvez-vous pas que quelques-uns d'entre eux ont tendance à abuser de l'espèce de libération[10] dont vous parlez?

— J'avoue que quelquefois je ne suis pas trop fier de la conduite de certains de mes compatriotes, répond Jack. Ils sont une infime minorité, mais malheureusement ils réussissent à créer une mauvaise impression. Je n'aime pas voir, par exemple, de jeunes Américaines, même jolies, se promener en *jeans* le long de l'Avenue de l'Opéra. Les Français attachent une importance peut-être exagérée à ce qu'ils appellent *la tenue*.[11] Néanmoins, il faut respecter les usages du pays où l'on est.

[9] Se plaisent à, *like* (lit.: *are pleased at*).
[10] Abuser de l'espèce de libération, *to misuse the freedom* (lit.: *the kind of freedom*).
[11] La tenue, *dress, bearing, grooming, etc.* "Appearance" is perhaps the nearest English equivalent.

Joueurs de football

— Je ne veux certes pas justifier la conduite des gens dont vous parlez, dit Bill. Tout de même, il faut comprendre que les peuples diffèrent les uns des autres par leurs habitudes et par leurs goûts. Nous ne comprenons pas toujours les Français; mais eux non plus ne nous comprennent pas toujours.

— Que voulez-vous,[12] Bill? Chaque peuple, comme chaque individu, a tendance à se considérer comme presque parfait et à estimer[13] les autres dans la mesure où[14] ils se rapprochent de sa propre perfection.

— Je sais que les Européens ont l'habitude de nous reprocher notre matérialisme, notre amour exagéré des conforts de l'existence, notre recherche des plaisirs faciles, depuis ceux de l'automobile jusqu'à ceux des jeux de football et de baseball. Mais au fond je doute qu'ils soient moins matérialistes que nous.

— Personnellement, dit Jack, je refuse de considérer certains goûts et certaines habitudes comme supérieurs ou inférieurs à d'autres. Si nous glorifions peut-être trop tel joueur[15] de football ou

[12] Que voulez-vous? *What can you expect?* OR *After all!*
[13] Estimer, *approve, esteem.*
[14] Dans la mesure où, *in so far as, to the extent that.*
[15] Tel joueur, *such and such a player, a given player.*

de baseball, je vous ferai remarquer qu'après tout certains athlètes étaient des héros de l'ancienne Grèce... Je ne suis pas sûr, d'ailleurs, que les Français ne s'intéressent pas aux sports autant que nous.

— Mais ils n'ont ni notre football ni notre baseball.

— C'est vrai; mais ils ont leur Tour de France... Je vais vous avouer quelque chose qui va peut-être vous surprendre.

— Quoi?

Au Bois de Boulogne

— Tout en admirant l'individualisme des Français, leur vivacité et leur originalité d'esprit, je n'ai jamais assisté à un jeu de football sans admirer également notre esprit d'équipe, notre discipline volontaire, notre génie d'organisation qui sont parmi les grandes forces de notre pays.

— Je suis tout à fait d'accord, dit Bill. Mais pour le moment, j'aimerais beaucoup m'asseoir à la terrasse de ce café là-bas. Ne voulez-vous pas prendre quelque chose avec moi?

Les divers problèmes de la circulation

27

Dans la cuisine

Deux cent cinquante grammes[1] de fraises bien mûres,[2] 3 œufs, ½ litre[3] de sirop de sucre, ¼ de litre[4] de crème . . .

— Qu'est-ce que tu fais là, maman? demande Jacqueline à sa mère, qui lit à haute voix une recette dans un livre de cuisine.

— Une mousse aux fruits[5]. . . C'est aujourd'hui le jour de congé[6] de la cuisinière, continue Mme Brégand en s'adressant à Bill. Je prépare le dîner en son absence. Quand elle est ici, j'ose à peine entrer dans ma cuisine, car elle ne tolère personne auprès d'elle. J'adore pourtant faire la cuisine, au moins une fois par semaine.

— Maman est une excellente cuisinière, à qui manquent[7] seulement les occasions d'exercer son talent.

— Jacqueline, dit Mme Brégand, au lieu de te moquer de ta mère, apporte-moi les œufs et les champignons.

— Qu'est-ce que tu vas nous faire?

— Une omelette aux champignons.

— Une omelette aux champignons? demande Bill. Je voudrais bien savoir en faire une. Est-ce que c'est très compliqué?

[1] 250 grammes are approximately equivalent to ½ pound. 1 kilogramme is 1000 grammes and weighs about 2.2 pounds.
[2] Fraises bien mûres, *thoroughly ripe strawberries.*
[3] Un demi-litre, *approximately one pint.*
[4] Un quart de litre, *one half-pint.*
[5] Une mousse aux fruits: *a frozen dessert of fruit and whipped cream.*
[6] Le jour de congé, *the day off.*
[7] A qui manquent . . . les occasions, *who has no chance* (lit.: *to whom the chances to practice . . . are lacking*).

Cassez les œufs et battez-les bien

— Rien de plus simple, répond Mme Brégand. Vous verrez tout à l'heure comment vous y prendre.[8] Mais, comme il est toujours bon de joindre la théorie à la pratique, lisez la recette dans ce livre de cuisine.

5 Bill prend le livre de cuisine, cherche au chapitre «Œufs» et trouve la recette suivante:

> Il faut des œufs et du beurre très frais. Pour quatre personnes, prenez six ou sept œufs, cassez-les dans une terrine . . .

— Je suis heureux de constater[9] la véracité du proverbe: «On
10 ne peut pas faire une omelette sans casser des œufs,»[10] commente Bill, qui continue:

> . . . salez, poivrez et battez bien avec une fourchette. Ajoutez les champignons préalablement sautés au beurre (voir p. 545).[11] Placez ensuite dans une poêle épaisse un morceau

[8] Comment vous y prendre, *how to go about it.* "Se prendre à" here is used with the pronoun of the second person as a reflexive pronoun.
[9] Constater, *to observe, to verify* (NOT to state).
[10] The proverb means sometimes "You can't get something for nothing" and sometimes "You can't get anything done without stepping on someone's toes."
[11] Voir p. 545, *see page 545* (for directions as to how to cook the mushrooms).

De beaux champignons

de beurre gros comme une noix, faites-le bien chauffer, puis versez dedans[12] vos œufs avec les champignons. Laissez prendre[13] un moment sur le feu, puis soulevez la partie prise[14] avec une fourchette pour faire glisser les œufs qui ne sont pas encore pris. Le feu ne doit pas être trop vif. 5

— Évidemment, le style[15] n'est pas très élégant, remarque Jacqueline. Mais enfin, c'est compréhensible . . .

Bill continue:

Lorsque l'omelette est à point,[16] repliez-la[17] avec une fourchette, de sorte[18] qu'il n'y ait plus que la moitié de la poêle d'occupée. Laissez une minute sur le feu. Placez l'omelette sur un plat chauffé et servez immédiatement. 10

— Êtes-vous en train d'apprendre à faire la cuisine, Bill? demande M. Brégand, qui arrive à ce moment.

[12] Versez dedans, *pour into it.*

[13] Laissez prendre, *let (it) cook.* "Prendre" often means *take*—among other things.

[14] La partie prise, *the cooked part.*

[15] Le style, *the style* (of the cookbook). Educated French people are always very conscious of this sort of thing.

[16] A point, *just right, cooked to a turn.*

[17] Repliez-la, *fold it over.*

[18] De sorte qu'il n'y ait plus que la moitié de la poêle d'occupée, *so that only half the pan will then be occupied.*

— Vous savez qu'aux États-Unis les hommes se considèrent volontiers[19] comme d'excellents cuisiniers, répond Bill. Griller un bifteck en plein air est en général leur spécialité. Quand il s'agit de faire cuire[20] un bifteck, mon père se croit Vatel,[21] ni plus ni moins.

5 — Ne dites pas de mal de votre père, Bill, ni de vos biftecks américains, dit M. Brégand. Lorsque j'étais aux États-Unis, j'ai remarqué l'excellente qualité de votre viande. Par contre, j'ai eu du mal à accepter certaines de vos habitudes gastronomiques.[22]

— Lesquelles, par exemple? demande Bill en riant.

10 — Par exemple, on vous sert tout un quartier de laitue très dure qu'il faut manger sans y mettre le couteau, ce qui n'est pas très

[19] Se considèrent volontiers, *like to regard themselves.*
[20] Faire cuire, *to cook* (lit.: *to cause to cook*). "Cuire" is an intransitive verb.
[21] Vatel: the cook of the Grand Condé. He committed suicide when the provisions did not arrive in time for a fine dinner his master was giving in honor of Louis XIV.
[22] Vos habitudes gastronomiques, *your eating habits.*

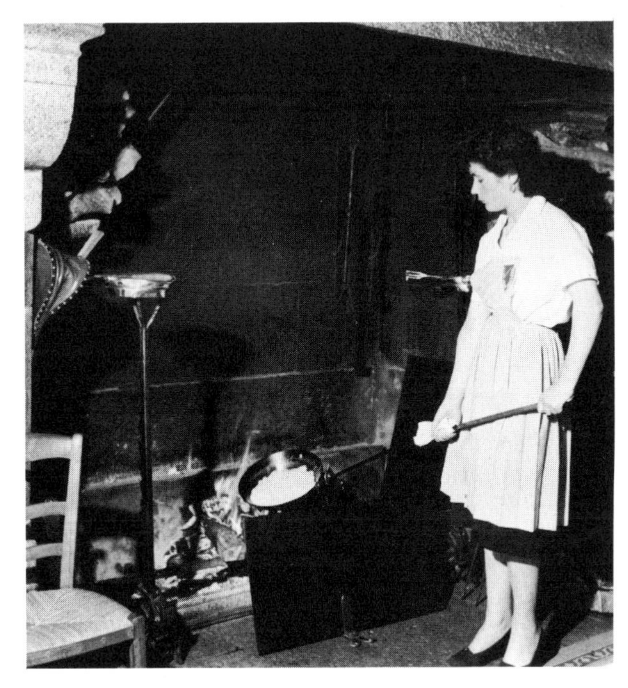

L'art de faire une omelette

«A la renommée de l'omelette de la mère Poulard»,
au Mont Saint-Michel

commode. Ou bien, on vous donne des fruits et des légumes incrustés dans une sorte de gelée sucrée, le tout recouvert[23]— incroyablement — de sauce mayonnaise.

— Mais la mayonnaise n'est-elle pas française d'origine?

— Assurément, mais elle s'accorde mal avec le goût du sucre. Et puis, il y a mayonnaise et mayonnaise. La vraie mayonnaise doit être préparée immédiatement avant d'être servie, et ne pas sortir toute faite d'un bocal[24]... L'histoire de cette illustre sauce est assez curieuse. C'est presque une page de l'histoire de France.

— Une page de l'histoire de France? demande Bill.

— Pendant la guerre de Sept ans,[25] explique M. Brégand, le

[23] Le tout recouvert, *the whole thing covered.*
[24] Un bocal, *a glass jar.*
[25] La Guerre de Sept ans: 1756–63.

maréchal de Richelieu[26] est allé avec une flotte française, assiéger la ville de Port-Mahon, dans les Baléares.[27] Les assiégeants, dit-on, souffraient de la faim presque autant que les assiégés. La viande en particulier était si mauvaise que le maréchal a demandé à son
5 cuisinier d'inventer une sauce qui la rendît[28] mangeable. Le résultat fut cette sauce qu'on appela d'abord «mahonnaise» et qui, par corruption, est devenue la «mayonnaise.» Voilà l'histoire.

— Père, dit Jacqueline, tu as toujours une quantité d'information inutile. Avec[29] tout cela, je parie que tu ne pourrais pas
10 préparer une sauce mayonnaise.

— Ma foi non, avoue M. Brégand.[30]

[26] Le maréchal de Richelieu: great nephew of the Cardinal de Richelieu who was prime minister under Louis XIII.

[27] Port-Mahon is the principal port of the island of Minorca.

[28] Qui la rendît, *which would make it.* "Rendît" is the imperfect subjunctive of "rendre."

[29] Avec, *in spite of.*

[30] Mme Brégand and Jacqueline have given M. Brégand the impression that making mayonnaise requires the skill of a Vatel. If he had only looked in the cookbook, he would have seen that it is really very simple: "Put in electric mixer: the yolk of one fresh egg with ½ teaspoon of salt, a dash of cayenne, and, if you like it, ½ teaspoon of dry mustard. Add 1 tablespoon of tarragon vinegar and turn on mixer at medium speed. After a minute, add, bit by bit, ¾ cup of olive oil which has been in the refrigerator for half an hour. When the oil has been thoroughly assimilated (about five minutes), add 1 tablespoon of lemon juice and continue to beat for a minute."

French people think it strange that we put mayonnaise on fruits and vegetables; they think it is appropriate only for such dishes as cold lobster, shrimp, salmon, chicken, lean beef, etc.

28

Son et Lumière[1]

Bill et Raymond ont décidé de profiter de quelques jours de congé pour faire une excursion dans la région de la Loire.[2] C'est là qu'au temps de la Renaissance,[3] rois et grands personnages se sont fait construire ces magnifiques résidences qui sont maintenant une des attractions de cette charmante région. Les châteaux sont si nombreux qu'il est facile d'en visiter plusieurs en une seule journée. Après avoir visité Chenonceaux pendant la matinée et Blois au cours de l'après-midi, Raymond propose à Bill d'aller passer la soirée à Chambord.[4]

[1] Note the omission of the definite article in enumerations of two or more nouns. In this chapter, you will see the following examples of such enumerations: son et lumière, rois et grands personnages, musique et chants, hauts-parleurs et projecteurs, voix et musique.

[2] The valley of the Loire river is famous for a number of magnificent châteaux that were built there in the early sixteenth century.

[3] The French Renaissance is generally thought of as a sixteenth century phenomenon, but in reality the "Revival of Learning" came to France much earlier.

[4] The châteaux of Chenonceaux, Chambord, and Blois are the most famous of the Renaissance châteaux of the Loire valley.

— Le château n'est guère qu'à[5] une vingtaine de kilomètres d'ici, explique-t-il. Au lieu de voir Chambord le jour,[6] comme les autres châteaux, voyons-le la nuit.

[5] N'est guère qu'à, *is hardly more than.* Note that in French, one says "*à* une vingtaine de kilomètres," whereas we do not use a preposition in English.
[6] Le jour . . . la nuit, *by day . . . by night.*

A gauche, Chambord: une forêt de tours, de cheminées, de hautes lucarnes magnifiquement décorées

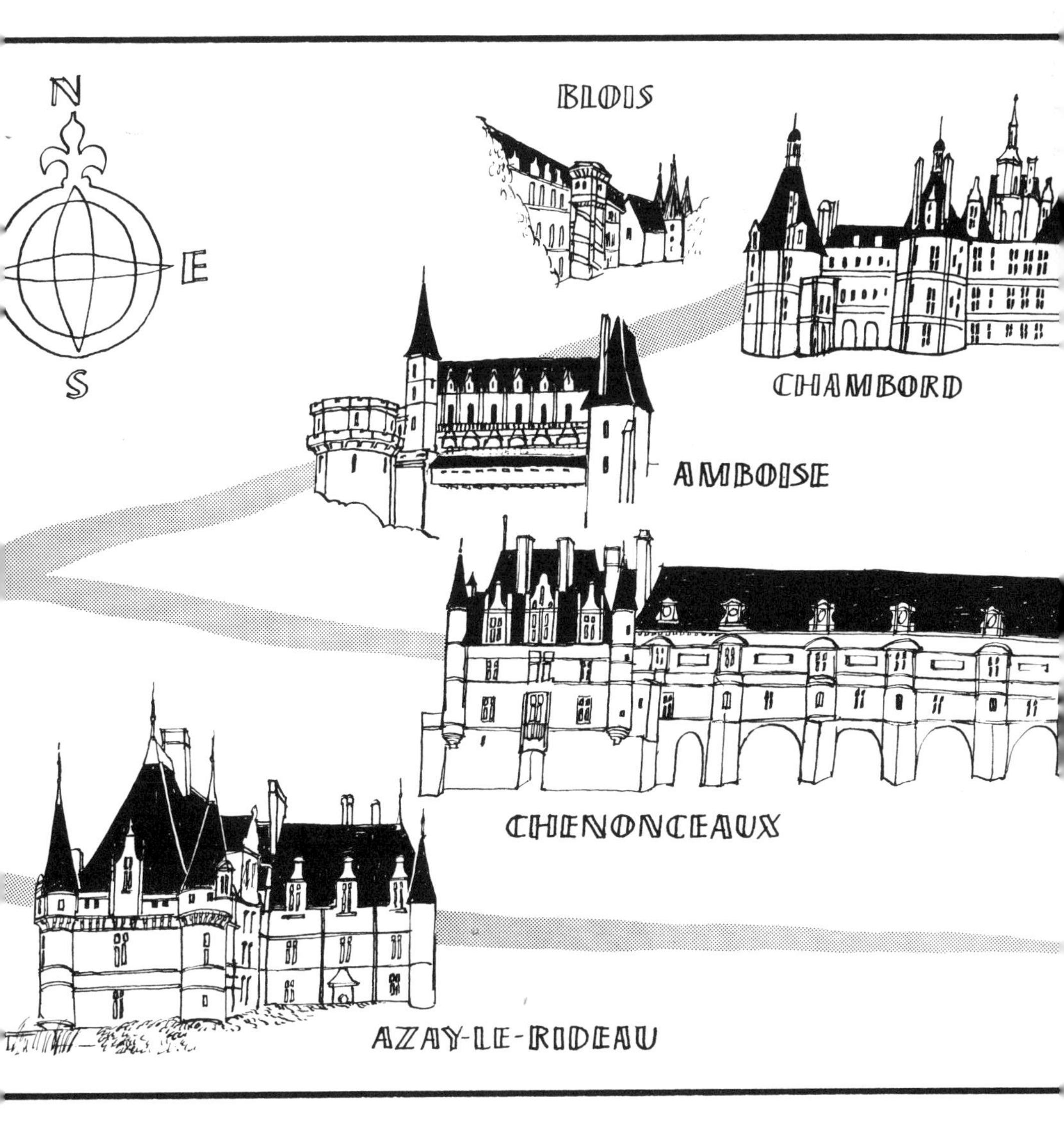

— A la lueur d'une lanterne? demande Bill.

— Pas du tout. A la lumière de projecteurs, qui éclairent tout l'édifice et son voisinage immédiat. C'est à Chambord qu'on a inauguré les fameux spectacles Son et Lumière, qui se sont répandus non seulement en France, mais dans beaucoup d'autres pays, en Angleterre, en Espagne, en Grèce — à l'Acropole — et même aux États-Unis.

— J'en ai entendu parler, en effet. Je crois avoir entendu dire qu'il y en a un à Independence Hall, à Philadelphie, mais je ne l'ai jamais vu.

On dit que l'initiative en est due au petit-fils d'un célèbre prestidigitateur français du XIXe siècle, Robert-Houdin.[7] Il était à

[7] Jean-Eugène Robert-Houdin was born in 1805 in the city of Blois—which boasts of one of the most famous royal châteaux of France. His grandson dreamed up the idea of Son et Lumière programs. The famous American magician and escape artist Houdini (1874–1926), born Ehrich Weiss, took the name Houdini from the French magician Robert-Houdin; but he was not related to the French family so far as we know.

Son et Lumière à Chambord

Tour du château de Chambord décorée de la salamandre, emblème de François Premier

Chambord au cours d'une nuit d'orage. Au milieu des éclairs et des éclats du tonnerre, le château lui a paru plus animé, plus vivant que pendant la journée.

— Il faut avouer qu'un orage est Son et Lumière par excellence, ou plutôt Lumière et Son, puisque l'éclair précède le tonnerre.

— La plupart des châteaux laissent une impression de solitude et d'abandon. Disons, si vous voulez, qu'ils représentent une société qui n'est plus. C'est elle que Son et Lumière essaie de faire revivre.

— Mais plusieurs de ces châteaux sont toujours habités, n'est-ce pas?

— Oui, quelques-uns. Mais pensez un peu au coût de leur entretien. Imaginez par exemple qu'il soit nécessaire de refaire une immense toiture ou de réparer des murs endommagés par le temps. Et puis, il faut de nombreux domestiques, maintenant presque introuvables, des jardiniers, des gardes, etc. Chenonceaux a été habité jusqu'à une date récente: il ne l'est plus[8]... Savez-vous par exemple combien de pièces il y a dans le château de Chambord?

— Je n'en ai aucune idée.

— Près de quatre cent cinquante.

— C'est François Premier[9] qui a fait construire Chambord, n'est-ce pas?

— Oui, ce fut une de ses fantaisies coûteuses.

— Qu'est-ce qu'il faisait de toutes ces pièces?

— Il venait parfois à Chambord chasser dans les environs. Il arrivait accompagné de centaines de personnes, hommes et femmes. Il fallait bien loger tous ces gens-là.

— Et quand le roi n'était pas là?

— Le château n'était pas habité, sauf par les gens chargés de l'entretien. Plus tard, Louis XIV y est venu quelquefois, avec sa cour bien entendu. On montre encore aux visiteurs l'endroit où Molière et sa troupe ont joué pour la première fois *Le Bourgeois gentilhomme*.[10] Noblement assis sur le Grand Escalier, le Grand Roi a assisté à la représentation.

— Il ne se doutait guère que la gloire du comédien nommé Molière égalerait un jour la sienne.

— On raconte qu'un jour Louis XIV demanda à Boileau[11] qui, selon lui, était le plus grand écrivain de son époque. «Sire, c'est Molière,» répondit Boileau. «Je ne l'aurais pas cru,» déclara le Grand Roi surpris.

[8] Il ne l'est plus, *it isn't (inhabited) any longer*. The "l'" refers to "habité."

[9] François Premier (1497–1547) was perhaps the most colorful king of France. A great patron of the arts, he invited Leonardo da Vinci, Benvenuto Cellini, Andrea del Sarto and others to come to France. He had Titian paint his portrait.

[10] As there was no theatre in the château of Chambord, Molière had to put on his famous comédie-ballet in the hall of the second story. Although the hall was relatively spacious, it was not large enough for Molière's troupe and the audience; so the audience, including the Grand Roi, sat on the stairs.

[11] Boileau was one of the important writers of the reign of Louis XIV and, along with Molière and Racine, he enjoyed the favor of the king. Louis XIV was a true connaisseur of literature and the other arts.

Le Grand Escalier du château de Chambord

Une partie du château de Chenonceaux est construite au dessus d'une rivière

Bill et Raymond arrivent à Chambord à la tombée de la nuit. Ils se rendent au château vers neuf heures. Soudain la façade, inondée de lumière et dominée par une forêt de tours, de cheminées, de hautes lucarnes magnifiquement décorées, paraît au milieu de la nuit. Puis une voix évoque le souvenir des grandes chasses royales, lorsque, de la terrasse du château, les dames de la cour suivaient des yeux la poursuite du cerf dans les prés et dans les bois du voisinage.

On entend au loin le son des cors de chasse et les aboiements des chiens. Musique et chants d'autrefois accompagnent monologues et dialogues. Des faisceaux lumineux éclairent successivement les diverses parties du château selon les événements rappelés par le narrateur. Peu à peu le charme opère. On oublie haut-parleurs et projecteurs, et pendant quelque temps le château retrouve une espèce de vie imaginaire.

— Il est étrange de voir combien Son et Lumière réussit à évoquer le passé par des moyens sonores et lumineux, sans qu'aucun effort soit fait pour représenter les êtres et les événements d'autrefois, observe Bill.

— On choisit des monuments assez riches en souvenirs historiques, en épisodes gracieux ou dramatiques pour captiver l'attention. La tâche est d'ailleurs facilitée par les associations de toute sorte qui existent déjà dans l'esprit des spectateurs.

— Il est tout naturel que l'idée de Son et Lumière soit venue au petit-fils de Robert-Houdin, car cette évocation du passé ressemble un peu à la magie, même si cette magie n'est qu'une illusion créée par des projecteurs, des magnétophones et des haut-parleurs . . .

Au bout d'une demi-heure ou de trois quarts d'heure, voix et musique s'arrêtent, les lumières s'éteignent et le vieux château retombe dans l'obscurité de la nuit, d'où le tireront les premières lueurs du jour.

Six Fables de La Fontaine

[Jean de La Fontaine (1621-1695) was one of the greatest and best-loved French poets. Although most of the stories contained in his fables are as old as the hills, the fables themselves are full of originality, charm and wit. In order to appreciate fully their subtlety and variety, it is necessary to read them many times and with the greatest possible attention.]

LA GRENOUILLE QUI SE VEUT FAIRE AUSSI GROSSE QUE LE BŒUF. Fable III.

La grenouille qui se veut faire aussi grosse que le bœuf

Une Grenouille vit un Bœuf
Qui lui sembla de belle taille.
Elle, qui n'était pas grosse en tout comme un œuf,
Envieuse, s'étend, et s'enfle, et se travaille,
Pour égaler l'animal en grosseur,
Disant: «Regardez bien, ma sœur;
Est-ce assez? dites-moi; n'y suis-je point encore?
— Nenni. — M'y voici donc? — Point du tout. — M'y voilà?
— Vous n'en approchez point.» La chétive pécore
S'enfla si bien qu'elle creva.

Le monde est plein de gens qui ne sont pas plus sages:
Tout bourgeois veut bâtir comme les grands seigneurs,
Tout petit prince a des ambassadeurs,
Tout marquis veut avoir des pages.

The Frog who wants to make herself as large as an ox. TRANSLATION: A frog saw an ox which seemed to her of admirable size. So she, who was not all told as large as an egg, envious, spreads herself, inflates herself, and struggles to equal the animal in size. She says: "Look sharply, sister; is this enough? Tell me; am I not there yet?" "Nay, nay." "Now am I?" "Absolutely not." "Am I *now?*" "You are nowhere near it." The insignificant little animal blew herself up until she burst.

The world is full of people who are no wiser: every man in town wants to build a house which looks like those of great lords; every princeling has personal ambassadors, every marquis thinks he should have page boys.

Le Corbeau et le Renard

Maître Corbeau, sur un arbre perché,
Tenait en son bec un fromage.
Maître Renard, par l'odeur alléché,
Lui tint à peu près ce langage:
«Hé! bonjour, Monsieur du Corbeau.
Que vous êtes joli! que vous me semblez beau!
Sans mentir, si votre ramage
Se rapporte à votre plumage,
Vous êtes le phénix des hôtes de ces bois.»
A ces mots le Corbeau ne se sent pas de joie;
Et pour montrer sa belle voix,
Il ouvre un large bec, laisse tomber sa proie.
Le Renard s'en saisit, et dit: «Mon bon Monsieur
Apprenez que tout flatteur
Vit aux dépens de celui qui l'écoute:
Cette leçon vaut bien un fromage, sans doute.»
Le Corbeau, honteux et confus,
Jura, mais un peu tard, qu'on ne l'y prendrait plus.

The Crow and the Fox. TRANSLATION: Master Crow, perched in a tree, held a small cheese (*un fromage*) in his beak. Master Fox, attracted by the odor, addressed him somewhat as follows: "Hello! good morning My Lord de Crow. How pretty you are! how handsome you look to me! Truly sir (without lying), if your voice is on a par with your feathers, you are the Phoenix of the residents of these woods." At these words the Crow is beside himself with joy; and to show his beautiful voice, he opens his beak wide, lets his prize fall. The Fox seizes it and says: "My good sir, learn that every flatterer lives at the expense of the person who listens to him: this lesson is no doubt well worth a small cheese." The Crow, ashamed and embarrassed, swore (but a little late) that no one would catch him by flattery again.

LE CORBEAU ET LE RENARD, Fable II.

Le Loup et le Chien

Un loup n'avait que les os et la peau,
Tant les chiens faisaient bonne garde.
Ce Loup rencontre un Dogue aussi puissant que beau,
Gras, poli, qui s'était fourvoyé par mégarde.
L'attaquer, le mettre en quartiers,
Sire Loup l'eût fait volontiers;
Mais il fallait livrer bataille,
Et le mâtin était de taille
A se défendre hardiment.
Le loup donc l'aborde humblement,
Entre en propos, et lui fait compliment
Sur son embonpoint, qu'il admire.
«Il ne tiendra qu'à vous, beau sire,
D'être aussi gras que moi, lui repartit le Chien.
Quittez les bois, vous ferez bien:
Vos pareils y sont misérables,
Cancres, hères, et pauvres diables,
Dont la condition est de mourir de faim.
Car quoi? rien d'assuré; point de franche lippée:
Tout à la pointe de l'épée.
Suivez-moi: vous aurez un bien meilleur destin.»

The Wolf and the Dog. TRANSLATION: The dogs kept such good guard (over the sheep) that a certain wolf had nothing but skin and bones. This Wolf meets a fat, sleek Mastiff, as powerful as he is handsome, which had strayed from his path by carelessness. To attack him and tear him to pieces, Sir Wolf would have gladly done it; but he would have had to fight it out, and the mastiff was built in such a way that he could defend himself boldly. So the Wolf comes up to him humbly, begins to talk, compliments him on his well-fed look — which he finds admirable. "It will be up to you, fair sir, answered the Dog, to be as fat as I am. Leave the woods behind. That will be a good thing for you: the likes of you are wretched there—bums, outcasts, and poor devils whose fate is to die of hunger. For really! nothing you can count on, no good free meals. You have to fight for everything you get. Follow me: you shall have a better fate." The Wolf answered: "What will I have to do?" "Almost nothing,"

Le Loup reprit: «Que me faudra-t-il faire?
— Presque rien, dit le Chien: donner la chasse aux gens
Portant bâtons, et mendiants;
Flatter ceux du logis, à son maître complaire;
Moyennant quoi votre salaire
Sera force reliefs de toutes façons,
Os de poulets, os de pigeons,
Sans parler de mainte caresse.»
Le Loup déjà se forge une félicité
Qui le fait pleurer de tendresse.
Chemin faisant, il vit le col du Chien pelé.
«Qu'est-ce là? lui dit-il. — Rien. — Quoi? rien? — Peu de chose.
— Mais encor? — Le collier dont je suis attaché
De ce que vous voyez est peut-être la cause.
— Attaché? dit le Loup; vous ne courez donc pas
Où vous voulez? — Pas toujours; mais qu'importe?
— Il importe si bien, que de tous vos repas
Je ne veux en aucune sorte,
Et ne voudrais pas même à ce prix un trésor.»
Cela dit, maître Loup s'enfuit, et court encor.

said the Dog: "Give chase to people carrying sticks and to beggars; fawn upon the members of the household, please one's master. In return for which your pay will be many left-overs of all sorts: chicken bones, pigeon bones, to say nothing of many friendly pats." The Wolf is already imagining a state of happiness which makes him weep with delight. But as they were walking along, he saw the neck of the Dog where the hair had been rubbed off. "What's that?" he said to him. "Nothing." "What do you mean 'nothing'?" "Nothing much." "But still, what is it?" "The collar by which I am tied is perhaps the cause of what you see." "Tied?" said the Wolf: "then you don't run wherever you please?" "Not always; but what difference does it make?" "It makes so much difference that I will have none of your meals whatever, and would not even want a treasure at that price." Having said that, Master Wolf flees, and is still running [whenever he pleases].

LE LOUP ET LE CHIEN . Fable V.

LE LOUP ET L'AGNEAU . Fable X .

Le Loup et l'Agneau

La raison du plus fort est toujours la meilleure:
            Nous l'allons montrer tout à l'heure.

            Un Agneau se désaltérait
            Dans le courant d'une onde pure.
Un Loup survient à jeun, qui cherchait aventure,
            Et que la faim en ces lieux attirait.
«Qui te rend si hardi de troubler mon breuvage?
            Dit cet animal plein de rage.
Tu seras châtié de ta témérité.
— Sire, répond l'Agneau, que Votre Majesté
            Ne se mette pas en colère;
            Mais plutôt qu'elle considère
            Que je me vas désaltérant
                  Dans le courant,
            Plus de vingt pas au-dessous d'Elle,
Et que par conséquent, en aucune façon,
            Je ne puis troubler sa boisson.
— Tu la troubles, reprit cette bête cruelle;
Et je sais que de moi tu médis l'an passé.
— Comment l'aurais-je fait si je n'étais pas né?
      Reprit l'Agneau; je tette encor ma mère.
      — Si ce n'est toi, c'est donc ton frère.
      — Je n'en ai point. — C'est donc quelqu'un des tiens
            Car vous ne m'épargnez guère,
            Vous, vos bergers, et vos chiens.
      On me l'a dit: il faut que je me venge.»
            Là-dessus, au fond des forêts
            Le Loup l'emporte, et puis le mange,
            Sans autre forme de procès.

The Wolf and the Lamb. TRANSLATION: The argument of the stronger (person) is always the one that wins: we shall demonstrate it at once. A Lamb was drinking in the current of a pure stream. A hungry Wolf comes along on the prowl, attracted there by hunger. "What makes you so bold as to muddy my drink?" said that animal, full of fury. "You shall be punished for your temerity." "My Lord," replies the Lamb, "may your Majesty not get angry; but consider, rather, that I am drinking in the stream more than twenty paces down-stream from your Majesty; and that, consequently, I can not in any way be disturbing your Majesty's drink." "You *are* muddying it," said that cruel beast; "and I know that you slandered me last year." "How should I have done it if I was not born?" continued the Lamb; "I am still a sucking lamb." "If it wasn't you, it was your brother, then." "I haven't any." "Well, it was one of your people, for you do not exactly spare me — you, your shepherds, and your dogs. I have been told so! I must get vengeance." Thereupon, the Wolf carries him off to the depths of the forest and then eats him without any other sort of trial.

La Mort et le Bûcheron

Un pauvre bûcheron, tout couvert de ramée,
Sous le faix du fagot, aussi bien que des ans
Gémissant et courbé, marchait à pas pesants,
Et tâchait de gagner sa chaumine enfumée.
Enfin, n'en pouvant plus d'effort et de douleur,
Il met bas son fagot, il songe à son malheur.
Quel plaisir a-t-il eu depuis qu'il est au monde?
En est-il un plus pauvre en la machine ronde?
Point de pain quelquefois, et jamais de repos.
Sa femme, ses enfants, les soldats, les impôts,
    Le créancier et la corvée,
Lui font d'un malheureux la peinture achevée.
Il appelle la mort; elle vient sans tarder,
    Lui demande ce qu'il faut faire.
    «C'est, dit-il, afin de m'aider
A recharger ce bois; tu ne tarderas guère.»

    Le trépas vient tout guérir;
    Mais ne bougeons d'où nous sommes.
    Plutôt souffrir que mourir,
    C'est la devise des hommes.

Death and the Wood-cutter. TRANSLATION: A poor wood-cutter, entirely covered with branches, bent over and groaning under the weight of the fagot as well as (under the weight) of years, was walking with heavy steps and trying to reach his smoky little thatched cottage. Finally, completely exhausted by labor and grief, he puts down his fagot and thinks over his wretchedness. "What pleasure has he had since he has been in the world? Is there anyone more poverty-stricken in all the round earth? No bread sometimes, and never any rest.

LA MORT ET LE BUCHERON. Fable XVI.

His wife, his children, the soldiers, taxes, the creditor, and unpaid work on the roads make of him a perfect picture of unhappiness." He calls Death. It comes without delay, and asks him what he wants done (Lit.: what it is necessary to do). He answers: "It is to help me get this wood back on my shoulders; it will take only a moment (Lit.: you will not delay much)."

Death comes to cure everything; but let us not stir from where we are. The guiding principle of man is: "It is better to suffer than to die."

LA LAITIERE ET LE POT AU LAIT. Fable CXXXIV.

The Milkmaid and the Milk jug. TRANSLATION: Perrette, with a milk jug carefully placed on a little cushion on her head, was expecting to arrive in town without any trouble. Dressed lightly and with a short skirt, she was walking with long strides, for, in order to be more agile, she had put on a simple garment and flat shoes. Our milkmaid, thus turned out, was already counting, mentally, all the money she was to get for her milk, was spending it, was buying a hundred eggs, was having three broods; and everything was going just fine thanks to her diligent care. "It is easy for me to raise chickens around my house," she said. "The fox will be very skilful if he does not leave me enough to buy a pig. It will take only a little bran to fatten the pig. When I got him, he was medium sized; but when I sell him — after fattening him up — I shall get real money for him. And what will prevent me from putting in our stable — when you think how much money I'll get for him — a cow and indeed her calf, which I shall see leaping around among the flock?" Thereupon Perrette, carried away by her dream, also jumps . . . The milk falls: goodbye calf, cow, pig, chickens. The lady who owned all this property, leaving behind, with a sad eye, her fortune which had been spread out on the ground, goes to make her excuses to her husband — in great danger of being beaten (for her carelessness).

La Laitière et le Pot au lait

Perrette, sur sa tête ayant un pot au lait
    Bien posé sur un coussinet,
Prétendait arriver sans encombre à la ville.
Légère et court vêtue, elle allait à grands pas,
Ayant mis ce jour-là, pour être plus agile,
    Cotillon simple et souliers plats.
    Notre laitière ainsi troussée
    Comptait déjà dans sa pensée
Tout le prix de son lait, en employait l'argent,
Achetait un cent d'œufs, faisait triple couvée;
La chose allait à bien par son soin diligent.
    «Il m'est, disait-elle, facile
D'élever des poulets autour de ma maison:
    Le renard sera bien habile
S'il ne m'en laisse assez pour avoir un cochon.
Le porc à s'engraisser coûtera peu de son:
Il était, quand je l'eus, de grosseur raisonnable;
J'aurai, le revendant, de l'argent bel et bon.
Et qui m'empêchera de mettre en notre étable,
Vu le prix dont il est, une vache et son veau,
Que je verrai sauter au milieu du troupeau?»
Perrette, là-dessus, saute aussi, transportée.
Le lait tombe: adieu veau, vache, cochon, couvée.
La dame de ces biens, quittant d'un œil marri
    Sa fortune ainsi répandue,
    Va s'excuser à son mari,
    En grand danger d'être battue.

QUESTIONNAIRE

1 *Arrivée à Paris*

1 Où le train transatlantique entre-t-il? 2 Où est la gare Saint-Lazare? 3 Quand les voyageurs commencent-ils à descendre? 4 Quelle est la nationalité de la majorité des voyageurs? 5 Est-ce que tous les voyageurs parlent anglais? 6 Les Français sont-ils submergés dans la masse des touristes? 7 Combien d'enfants y a-t-il dans la famille américaine? 8 Qui est avec le groupe de jeunes filles? 9 Qui arrive en France pour montrer son bébé à ses parents? 10 Est-ce que le grand jeune homme a l'air de venir d'une université américaine? 11 Pourquoi Bill vient-il en France? 12 Combien de valises a-t-il? 13 Est-ce qu'un taxi arrive tout de suite? 14 Est-ce que le chauffeur parle anglais? 15 Est-ce que Bill est très fâché? 16 Quelle adresse donne-t-il au chauffeur? 17 A-t-il l'intention de parler français en France? 18 Pourquoi dit-il: J'ai seulement ces deux valises? 19 Où le chauffeur place-t-il les valises de Bill? 20 Qu'est-ce qu'il y a dans la rue Saint-Lazare? 21 Est-ce que le chauffeur est très habile? 22 Qu'est-ce que Bill regarde avec curiosité? 23 Quand le taxi s'arrête-t-il? 24 Où le chauffeur dépose-t-il les bagages de Bill? 25 Combien Bill donne-t-il au chauffeur? 26 Est-ce que le chauffeur sait que Bill est Américain? 27 Est-ce que le chauffeur lui parle anglais? 28 Où Bill entre-t-il?

2 *Chez Mme Lange*

1 Qui est Mme Arnauld? 2 Quel âge a-t-elle? 3 Comment marche-t-elle? 4 De quelle couleur sont ses cheveux? 5 Est-ce qu'elle porte une robe rouge? 6 Où est son appartement? 7 Chez qui Bill a-t-il une chambre? 8 Est-ce que Mme Lange attend Bill? 9 A quel étage est l'appartement de Mme Lange? 10 Est-ce que Bill est content d'être à Paris? 11 Qui va monter les bagages de Bill? 12 Est-ce que l'ascenseur part rapidement? 13 A quel étage Bill sort-il de l'ascenseur? 14 Qui ouvre la porte? 15 Comment Mme Lange reçoit-elle Bill? 16 Comment s'appelle le fils de Mme Lange? 17 Où est-il actuellement? 18 Est-ce que Bill sort sur le balcon? 19 Qu'est-ce qu'il admire? 20 Quelle est la profession de M. Lange? 21 Qui arrive avec les bagages de Bill? 22 Que fait Bill quand Mme Lange et M. Arnauld le quittent? 23 Qu'est-ce

qu'il voit dans la rue? 24 Qu'est-ce qu'il entend? 25 Qu'est-ce qu'il décide de faire? 26 Est-ce qu'il sait où il va dîner? 27 Qu'est-ce que Bill va demander à la concierge?

3 *Un Vieil Ami*

1 A quelle heure sonne-t-on à la porte de l'appartement? 2 Qui va ouvrir? 3 Est-ce que le jeune homme a l'air d'être Français? 4 Qu'est-ce qu'il porte? 5 Est-ce qu'il sait que Bill Burgess est ici? 6 Qu'est-ce qu'il demande à Mme Lange? 7 Qui est ce jeune homme? 8 Qu'est-ce que Bill est en train de faire? 9 Que dit Bill en lui tendant la main? 10 Pourquoi Jack arrive-t-il si tard? 11 Qu'est-ce que Jack dit quand il voit la chambre de Bill? 12 Qu'est-ce que Bill lui montre? 13 Les deux amis parlent-ils de leurs parents? 14 Jack connaît-il bien Paris? 15 Où étudie-t-il? 16 Est-ce que c'est sa première année à Paris? 17 Jack connaît-il un bon petit restaurant? 18 Pourquoi propose-t-il d'aller dîner dans ce petit restaurant? 19 Est-ce que le restaurant est loin d'ici? 20 Comment Jack propose-t-il d'aller à ce restaurant? 21 A quelle heure dîne-t-on à Paris? 22 Jack conduit-il avec audace? 23 Quand Jack aime-t-il dîner dehors? 24 Y a-t-il une longue liste de plats sur la carte? 25 Quelle espèce de vin Jack commande-t-il? 26 Qu'est-ce que Bill dit à Jack en finissant son café? 27 Qu'est-ce que Jack propose de faire en partant du restaurant?

4 *Sur les grands boulevards*

1 Où Bill et Jack se promènent-ils? 2 Quel temps fait-il ce soir-là? 3 Y a-t-il beaucoup de gens sur le boulevard des Italiens? 4 Est-ce qu'on entend parler beaucoup de langues? 5 Quelles nationalités est-il facile de reconnaître? 6 En quel mois sommes-nous? 7 Quel est le mois le plus chaud de l'année? 8 Où les Parisiens passent-ils leurs vacances? 9 Que dit Bill en regardant un groupe de jeunes filles? 10 Les modes françaises sont-elles très différentes des modes américaines? 11 Quelle couleur beaucoup de femmes âgées portent-elles? 12 Pourquoi les jeunes femmes portent-elles des robes noires? 13 Y a-t-il beaucoup de monde à la terrasse des cafés?

14 Quand la circulation commence-t-elle à diminuer? 15 Où beaucoup de touristes vont-ils s'amuser vers minuit? 16 Qu'est-ce qu'on voit dans les rues à une heure du matin? 17 Pourquoi la vie recommence-t-elle vers sept heures du matin? 18 Sur quelle place nos deux amis arrivent-ils? 19 Y a-t-il des représentations en ce moment? 20 Combien de temps l'Opéra est-il fermé en été? 21 Quand les représentations recommencent-elles? 22 Pourquoi l'Opéra ferme-t-il en été? 23 Est-ce que tout le monde a besoin de vacances? 24 Est-ce qu'il est l'heure de rentrer? 25 Qu'est-ce que Bill pense de sa promenade?

5 *Dans le métro*

1 Dans quelle station de métro Bill et Jack descendent-ils? 2 Quelle sorte de billets Jack achète-t-il? 3 Combien de classes y a-t-il dans le métro? 4 Pourquoi Jack achète-t-il des billets de première classe? 5 Que pense Bill du métro parisien? 6 Est-il difficile de trouver sa route dans le métro? 7 Qu'est-ce que Bill et Jack regardent? 8 Quelle indication y a-t-il à l'entrée de la galerie? 9 Que signifie l'indication: Pont de Levallois-Porte des Lilas? 10 Où peut-on acheter une petite carte du métro? 11 Est-ce que Bill connaît bien Paris? 12 Combien de temps le train s'arrête-t-il? 13 Comment les portes se ferment-elles? 14 Y a-t-il beaucoup de monde en seconde classe? 15 Pourquoi Bill est-il content d'être assis? 16 Que révèle le visage de beaucoup de voyageurs? 17 Est-ce que les Parisiens vont beaucoup aux Folies-Bergère? 18 Quel est le grand plaisir des Parisiens en été? 19 Quelle est la vie de l'immense majorité des Parisiens? 20 Est-ce que Bill est fatigué après sa première journée à Paris? 21 Qu'est-ce que Jack lui dit avant de descendre du métro? 22 Sortis du métro, où Bill et Jack vont-ils? 23 A quelle heure se quittent-ils? 24 Où se quittent-ils? 25 Où est l'appartement de Bill?

6 *Une Rencontre*

1 En quelle saison sommes-nous maintenant? 2 Quel temps fait-il? 3 Est-ce que les journées sont encore chaudes? 4 Est-ce

que c'est la saison des pluies? 5 Dans quel quartier de Paris Bill se promène-t-il? 6 Qu'est-ce que c'est que le Quartier Latin? 7 Y a-t-il beaucoup de libraires dans ce quartier? 8 Comment beaucoup de livres nouveaux sont-ils couverts? 9 Pourquoi les gens s'arrêtent-ils? 10 Quelle indication les livres récents portent-ils souvent? 11 Quel livre Bill regarde-t-il? 12 Qu'est-ce qu'il entend tout à coup? 13 Comment s'appelle la jeune Américaine? 14 Où Bill a-t-il fait sa connaissance? 15 Qu'est-ce qu'Ann Tilden fait à Paris? 16 Où ses parents habitent-ils maintenant? 17 Dans quelle université américaine est-elle étudiante? 18 Est-ce que les rencontres inattendues sont rares à Paris? 19 Pourquoi les touristes se rencontrent-ils souvent à Paris? 20 Dans quel jardin Ann et Bill entrent-ils ensemble? 21 Y a-t-il beaucoup de monde dans le Jardin du Luxembourg? 22 De quoi les deux jeunes gens parlent-ils? 23 Quand Bill va-t-il retourner à Philadelphie? 24 Quel est le nom de la famille française que connaît Ann Tilden? 25 Quel âge ont le fils et la fille de M. Brégand?

7 *Une Invitation*

1 Quel jour est-ce aujourd'hui? 2 Où Ann et Bill sont-ils invités? 3 Où habitent les Brégand? 4 Où se trouve Neuilly? 5 A quelle heure Ann vient-elle chercher Bill? 6 Comment Ann et Bill vont-ils chez les Brégand? 7 Est-ce que l'exactitude est une vertu féminine? 8 Est-ce que l'appartement de Bill est loin de la maison des Brégand? 9 Quand le taxi les dépose-t-il devant l'habitation des Brégand? 10 Est-ce que c'est une belle maison? 11 Où est située la maison? 12 Qui sonne à la porte de la grille? 13 Qui vient à la rencontre des deux visiteurs? 14 Quel âge a M. Brégand? 15 Comment Ann lui présente-t-elle Bill Burgess? 16 Que répond M. Brégand? 17 Où sont la femme et la fille de M. Brégand? 18 Pourquoi Raymond n'est-il pas à la maison? 19 Est-ce que M. Brégand connaît Philadelphie? 20 Quand y est-il allé? 21 Quelles villes connaît-il aux États-Unis? 22 Quelle région des États-Unis désire-t-il visiter? 23 De quoi parlent-ils après le déjeuner? 24 Qui arrive, à la surprise générale? 25 Comment Raymond a-t-il reçu une permission de minuit? 26 Où les quatre jeunes gens décident-ils d'aller ensemble?

8 *De la pluie et du beau temps*

1 Où les amis ont-ils passé la soirée ensemble? 2 Quel temps fait-il quand ils sortent du cinéma? 3 Quelle sorte de pluie est-ce? 4 Y a-t-il beaucoup de parapluies ouverts? 5 Depuis combien de jours pleut-il? 6 Est-ce qu'il fait toujours beau en Californie? 7 En quel mois de l'année sommes-nous? 8 Comment s'appelle la fête du commencement de novembre? 9 Quel temps fait-il après la Toussaint? 10 Quel est le climat de la France? 11 Qu'est-ce que c'est qu'un climat tempéré? 12 Pleut-il beaucoup à Paris en hiver? 13 Combien de fois neige-t-il à Paris pendant l'hiver? 14 Est-ce que la neige dure longtemps d'habitude? 15 Est-ce qu'Ann aime les sports d'hiver? 16 Où Jacqueline va-t-elle tous les ans faire du ski? 17 Où Bill peut-il aller en hiver quand il a froid? 18 De quelle couleur est la Méditerranée? 19 Quelles sont les quatre saisons de l'année? 20 Est-ce que le printemps est une saison agréable? 21 Quand les premiers signes du printemps apparaissent-ils? 22 Est-ce qu'il fait très froid à Paris en hiver? 23 Pourquoi Raymond demande-t-il à Ann si elle a des vêtements chauds pour l'hiver? 24 Est-ce que les maisons sont aussi bien chauffées en France qu'en Amérique? 25 Est-ce qu'Ann et Bill ont l'air d'être en bonne santé?

9 *Aux Halles*

1 Où Jack propose-t-il à Bill d'aller faire un tour? 2 A quelle heure propose-t-il d'y aller? 3 Qu'est-ce que c'est que les Halles? 4 Les Halles sont-elles ouvertes en toute saison? 5 Pourquoi sont-elles ouvertes toute l'année? 6 Connaissez-vous le Marché français de la Nouvelle Orléans? 7 Est-ce que le Marché français de la Nouvelle Orléans conserve son importance économique? 8 Comment Zola a-t-il appelé les Halles? 9 Depuis quand les Halles existent-elles? 10 Les bâtiments des Halles actuelles sont-ils très vieux? 11 Pourquoi le commerce s'est-il développé dans le voisinage de la Seine? 12 Qu'est-ce qui de nos jours favorise la dispersion du commerce? 13 Par quoi parle-t-on maintenant de remplacer les Halles? 14 A quelle heure Jack et Bill arrivent-ils dans le quartier des Halles? 15 Qu'est-ce qu'il y a dans les rues voisines du marché? 16 Où des hommes déposent-ils des paniers de légumes et de fruits? 17 Com-

ment appelle-t-on ces hommes? 18 Pourquoi appelle-t-on ces gens les forts des Halles? 19 D'où viennent les produits des Halles? 20 Y a-t-il beaucoup de jardins potagers dans la région autour de Paris? 21 Quelles autres régions de la France envoient des légumes à Paris? 22 D'où viennent les légumes en hiver? 23 D'où arrive le poisson de mer? 24 Comment appelle-t-on en français la mer entre la France et l'Angleterre? 25 De quelles régions surtout vient la viande? 26 Connaissez-vous des pays qui sont membres de la Communauté française?

10 Aux Halles (suite et fin)

1 Où est le marché des légumes? 2 Où se vendent la viande et le poisson? 3 En quoi les bâtiments des Halles sont-ils construits? 4 Est-ce que ces bâtiments sont fermés? 5 Y a-t-il beaucoup de monde à l'intérieur des bâtiments? 6 Pourquoi beaucoup de gens préfèrent-ils s'approvisionner aux Halles? 7 Quand arrivent les acheteurs des restaurants et des hôtels? 8 Qui arrive au cours de la matinée? 9 Qu'est-ce que Bill et Jack regardent en allant d'un étalage à l'autre? 10 Pourquoi les vendeuses de poisson sont-elles fameuses? 11 Quel privilège ont-elles eu sous l'ancienne monarchie? 12 Quand ont-elles joué un rôle historique? 13 Devant quel animal Bill s'arrête-t-il? 14. Comment cet animal est-il suspendu? 15 A quels animaux ressemble un sanglier? 16 Est-ce que Bill a déjà vu des sangliers? 17 Quand voit-on des sangliers sur les marchés parisiens? 18 A quel moment la foule des acheteurs commence-t-elle à diminuer? 19 Y a-t-il beaucoup de monde aux Halles l'après-midi? 20 Qu'est-ce qu'on fait l'après-midi? 21 Quand arrivent les provisions du lendemain? 22 Où Jack propose-t-il d'aller déjeuner? 23 Y a-t-il beaucoup de restaurants dans le quartier des Halles? 24 Pourquoi ces restaurants sont-ils d'habitude excellents? 25 Quel proverbe français exprime l'idée que les apparences sont souvent trompeuses?

11 Les Marchands des quatre saisons

1 Y a-t-il beaucoup de vendeurs dans les rues de Paris? 2 Où vendent-ils leurs produits? 3 Comment appelle-t-on ces vendeurs? 4 Où achètent-ils d'habitude leurs produits? 5 Est-ce qu'ils achètent en gros ou au détail? 6 Sont-ils aussi nombreux en hiver qu'en été?

7 Qu'est-ce qu'ils vendent au printemps, en été et en automne? 8 Qu'est-ce qu'ils vendent en hiver? 9 Les vendeurs ambulants existent-ils depuis longtemps? 10 Est-ce que la concurrence des magasins est grande? 11 Quelle est la population de l'agglomération parisienne? 12 A Paris, quels sont souvent les centres de la vie d'un quartier? 13 Est-ce que la clientèle des marchands ambulants change beaucoup? 14 Comment les ménagères peuvent-elles passer toute une matinée? 15 Est-ce qu'elles peuvent rester deux heures à l'intérieur d'une épicerie? 16 Qu'est-ce que Mme Durand veut acheter? 17 Pourquoi M. Dupont lui laisse-t-il les carottes à soixante centimes? 18 Qu'est-ce que la vieille marchande offre à Bill? 19 Pourquoi Ann dit-elle à Bill de ne pas acheter de fleurs? 20 Qu'est-ce que vend l'Arménien? 21 Quelle fleur vend-on dans les rues de Paris le premier mai? 22 Pourquoi beaucoup de gens mettent-ils ce jour-là un petit bouquet de muguet à leur boutonnière ou sur leur corsage? 23 Quelles fleurs vend-on en hiver dans les rues de Paris? 24 Qu'est-ce qu'un homme est en train de griller au coin d'une rue? 25 Pourquoi Bill a-t-il envie d'acheter un sac de marrons grillés? 26 Comment Bill trouve-t-il les marrons?

12 *Le Tour de France*

1 Qu'est-ce qui explique la popularité des courses cyclistes? 2 Quel événement sportif peut-on comparer à notre "World Series"? 3 Est-ce que les Français s'intéressent beaucoup au Tour de France? 4 Quand cette course a-t-elle lieu? 5 Quels coureurs participent au Tour de France? 6 Quels pays sont représentés dans le Tour de France? 7 Le parcours change-t-il d'une année à l'autre? 8 Où d'ordinaire commence et finit la course? 9 Y a-t-il beaucoup de spectateurs le long de la route? 10 Où ces spectateurs sont-ils particulièrement nombreux? 11 Quelle proportion de la population a l'occasion de voir passer le Tour de France? 12 Le Tour de France passe-t-il dans la région des Alpes? 13 Quelles sont les étapes les plus intéressantes? 14 Combien d'étapes y a-t-il en tout? 15 Dans quelles régions les étapes sont-elles les plus longues? 16 Quelle est parfois la vitesse moyenne des coureurs? 17 Dans quelles régions les étapes sont-elles les plus pénibles? 18 Tous les coureurs finissent-ils la course? 19 Quel coureur a le privilège de porter le maillot

jaune? 20 Y a-t-il beaucoup de prix offerts aux coureurs? 21 Par qui ces prix sont-ils offerts? 22 Est-ce que le Tour de France est l'occasion de beaucoup de réclame? 23 De quels produits les autos célèbrent-elles l'excellence? 24 Est-ce que ces autos font beaucoup de bruit et de poussière? 25 Quelle est à peu près la distance du Tour de France?

13 L'Industrie automobile

1 Où sont Bill et M. Brégand? 2 Y a-t-il d'autres usines Renault? 3 Que fabriquent les usines récemment construites près de Rouen? 4 Combien d'autos les usines Renault ont-elles fabriquées l'année dernière? 5 Quelle proportion de ces autos a été exportée? 6 Est-ce que l'Italie a acheté beaucoup de ces autos? 7 Les routes françaises sont-elles en bon état? 8 Où M. Brégand était-il l'autre jour? 9 Où était situé son hôtel? 10 Qu'est-ce que c'est qu'une porte cochère? 11 L'auto de M. Brégand est-elle entrée facilement? 12 Qu'est-ce qu'il y avait à la porte quelques minutes plus tard? 13 Que faisait le chauffeur? 14 Quand M. Brégand a-t-il revu la limousine? 15 Où était-elle? 16 Quelle est, pour l'Europe, la voiture idéale? 17 Est-ce que la 2 CV Citroën fait beaucoup de bruit? 18 Les petites autos tiennent-elles toujours parfaitement la route? 19 La puissance des autos américaines est-elle excessive? 20 Qu'est-ce que M. Brégand pense de la petite voiture Renault? 21 Y a-t-il maintenant beaucoup d'autos en France? 22 Quand le Salon de l'Automobile a-t-il lieu? 23 Attire-t-il beaucoup de visiteurs? 24 Quand le Salon a-t-il eu lieu pour la première fois? 25 Quelle est la distance entre Paris et Versailles?

14 Noël en France

1 Quel jour a lieu la conversation entre Jacqueline et Bill? 2 Quel temps fait-il ce jour-là? 3 Où Jacqueline et Bill ont-ils cherché refuge? 4 Pourquoi beaucoup d'enfants sont-ils venus sous les arcades de la rue de Rivoli? 5 En quelle saison les jours sont-ils les plus courts? 6 A quelle heure la nuit tombe-t-elle à l'époque de Noël? 7 La décoration de Noël est-elle la même qu'aux États-Unis? 8 Quelles sont les couleurs traditionnelles de Noël? 9 Quelle est

la plus grande fête de l'année aux États-Unis? 10 Pourquoi Bill pense-t-il à sa famille? 11 Qu'est-ce que Jacqueline lui montre à la devanture d'un magasin? 12 Les Peaux-Rouges sont-ils populaires en Europe? 13 Pourquoi sont-ils populaires? 14 Pourquoi Jacqueline et Bill entrent-ils dans le Grand Magasin du Louvre? 15 Quels jouets y trouvent-ils? 16 Qu'est-ce que le Père Noël porte sur le dos? 17 Comment voyage-t-il? 18 Où les petits Français laissent-ils leurs souliers? 19 Qu'est-ce qu'ils placent souvent à côté de leurs souliers? 20 Est-ce que la tradition de l'arbre de Noël existe en France? 21 Qu'est-ce que c'est qu'une crèche? 22 Quand met-on la bûche de Noël dans la cheminée? 23 Quel jour de l'année les petits Français trouvent-ils leurs plus beaux cadeaux? 24 Qu'est-ce qu'on donne surtout aux enfants le jour de Noël? 25 Quand le réveillon a-t-il lieu? 26 Où Jacqueline invite-t-elle Bill à faire le réveillon? 27 Qu'est-ce qu'ils feront avant le réveillon? 28 Quel est le menu traditionnel de la famille?

15 *Circulation parisienne*

1 Où Bill est-il venu passer la soirée? 2 Sur quel problème d'actualité la conversation tombe-t-elle? 3 Connaissez-vous George Gershwin? 4 Comment a-t-il évoqué la circulation parisienne? 5 Qui est M. Dubois? 6 A quoi a-t-il décidé de faire appel? 7 Qu'a-t-il demandé aux Parisiens? 8 Quel a été le résultat de sa demande? 9 Quel changement a eu lieu? 10 Pourquoi le problème de l'embouteillage est-il le plus difficile à résoudre? 11 Quand Haussmann a-t-il fait aménager de larges avenues? 12 Y avait-il des automobiles au temps d'Haussmann? 13 Combien y a-t-il maintenant d'automobiles à Paris ou près de Paris? 14 Quels véhicules trouvait-on dans les rues de Paris au dix-septième siècle? 15 Quand Louis XV était-il roi de France? 16 Qui était M. d'Argenson? 17 Quelle était alors la cause de beaucoup d'accidents? 18 Qu'est-ce que c'est qu'un cabriolet? 19 Quelle mesure M. d'Argenson a-t-il prise? 20 A quel âge a-t-il fixé l'âge de raison pour les femmes? 21 Qu'est-ce que Jacqueline pense de M. d'Argenson? 22 A quelle chanson populaire pense-t-elle? 23 Que pense-t-elle du sentiment de supériorité qu'ont les hommes? 24 Qu'est-ce que Raymond dit à sa sœur pour la calmer? 25 Savez-vous conduire une auto? 26 Croyez-vous que les femmes conduisent aussi bien que les hommes?

16 *Considérations sur l'éducation*

1 Où sont Bill et Raymond? 2 A quel lycée les élèves vont-ils sans doute? 3 Quelle est maintenant la date de la rentrée des classes? 4 Combien de sessions du baccalauréat y a-t-il maintenant? 5 Quelle est la proportion des élèves qui échouent? 6 Quand peuvent-ils se présenter de nouveau? 7 Quand des changements dans l'organisation des études ont-ils été proposés aux États-Unis? 8 Quelque chose de semblable s'est-il passé en France? 9 En France, la question de l'enseignement est-elle discutée depuis longtemps? 10 Qu'est-ce qui facilite les changements? 11 Comment appelle-t-on les écoles privées? 12 Quelle est la proportion des élèves qui vont à une école libre? 13 Par qui les diplômes sont-ils accordés? 14 Qui a organisé l'enseignement public en France? 15 Comment l'enseignement public est-il divisé? 16 A quelles professions l'enseignement secondaire préparait-il au temps de Napoléon? 17 Quand les études de droit ou de médecine commençaient-elles? 18 Quelle étude était jugée indispensable pour la médecine? 19 L'enseignement d'autrefois était-il trop rigide? 20 Quelles classes constituent le cycle d'orientation? 21 Qui décide si l'élève poursuivra ses études? 22 La décision du conseil est-elle irrévocable? 23 Pourquoi l'enseignement technique a-t-il été institué? 24 Quelle est la durée de l'enseignement technique court? 25 Combien de parties l'examen du baccalauréat comprend-il? 26 L'examen oral existe-t-il encore? 27 Pourquoi parle-t-on de moderniser les méthodes d'enseignement? 28 De quoi ces problèmes sont-ils les conséquences?

17 *Eaux minérales*

1 Où Bill a-t-il invité à dîner M. et Mme Lange? 2 Pourquoi M. et Mme Lange acceptent-ils avec plaisir? 3 Qu'est-ce qu'il y a dans le parking? 4 Y a-t-il un bar à l'intérieur du restaurant? 5 Que font les garçons? 6 Comment sont-ils vêtus? 7 Avec qui dîne le jeune homme à la table voisine? 8 Que remarque Bill? 9 Qu'est-ce qu'on lui a recommandé avant son départ des États-Unis? 10 Contre quelles maladies l'a-t-on vacciné? 11 Est-il dangereux de boire de l'eau en France? 12 Les gens du restaurant boivent-ils de l'eau ordinaire? 13 Pourquoi des Français boivent-ils de l'eau minérale? 14 Bill croit-il que l'eau minérale est bonne pour la santé?

15 Connaissez-vous le nom d'une eau minérale célèbre? 16 Quel est le sens de l'expression «faire une cure?» 17 Est-ce que les gens vont à Vichy seulement pour boire de l'eau d'une source? 18 Que trouve-t-on dans les grandes stations thermales? 19 La plupart des gens prennent-ils leur cure très au sérieux? 20 Quel est le meilleur des remèdes pour la plupart des maladies? 21 Qu'est-ce que M. Lange a quelquefois envie de faire après une mauvaise journée au lycée? 22 Quel nom portent un certain nombre de stations thermales françaises? 23 Quelle explication de ce nom Bill propose-t-il? 24 Cette explication est-elle exacte? 25 D'où vient le nom «Bourbon?» 26 Quelle boisson Mme Lange propose-t-elle à Bill?

18 *Le Long de la Seine*

1 Quel pont Bill et Ann traversent-ils ensemble? 2 Est-ce que ce pont est réellement un pont «neuf»? 3 Quand a-t-il été construit? 4 Qu'est-ce qu'il y a au milieu du pont? 5 Comment Bill connaît-il l'histoire de la statue? 6 Où le cheval de la statue primitive a-t-il été fait? 7 Pourquoi le cheval a-t-il été fait en Italie? 8 De quelle époque date la statue actuelle? 9 Y a-t-il beaucoup de ponts à Paris? 10 Est-ce que la Seine est aussi large que le Mississippi? 11 Pourquoi les Parisiens aiment-ils beaucoup leur fleuve? 12 Pourquoi Ann dit-elle à Bill: «Attention! Les gens vous regardent»? 13 A quelle heure Ann doit-elle être à la Sorbonne? 14 Combien de temps elle et Bill ont-ils devant eux? 15 Où sont placées les boîtes des bouquinistes? 16 Qu'est-ce qu'on trouve chez les bouquinistes? 17 A quel livre Bill s'intéresse-t-il? 18 Quel conseil lui donne Ann? 19 Que risque l'acheteur d'un livre? 20 Que risque le vendeur? 21 Quels livres l'oncle d'Ann collectionne-t-il? 22 Pourquoi porte-t-il ses plus vieux habits quand il va chez les bouquinistes? 23 Combien Bill finit-il par payer son traité d'architecture? 24 Y a-t-il beaucoup de pêcheurs le long de la Seine? 25 Est-ce qu'ils attrappent beaucoup de poissons? 26 Est-ce que ces pêcheurs sont des experts? 27 Alors, pourquoi n'attrappent-ils pas beaucoup de poissons?

19 *Anniversaires*

1 De quel livre de Jules Verne Bill parle-t-il? 2 Qui a adapté ce livre au cinéma? 3 Avez-vous vu le film de Walt Disney? 4

Quelle impression a-t-on quelquefois en regardant le film? 5 Dans quelle ville de France a-t-on célébré le cinquantenaire de Jules Verne? 6 Quel âge avait alors Jacqueline? 7 Comment s'appelle le sous-marin dans le livre de Jules Verne? 8 Qu'est-ce qu'Ann pense d'un voyage à la lune? 9 Est-ce que d'ordinaire en Amérique on célèbre l'anniversaire de la mort d'un personnage illustre? 10 Quels anniversaires sont célébrés chaque année en Amérique? 11 Quelle est la date de l'anniversaire de George Washington? 12 Les fêtes d'anniversaire sont-elles nombreuses en France? 13 Tous les gens dont on célèbre l'anniversaire sont-ils célèbres? 14 Y a-t-il des anniversaires purement locaux? 15 A quoi l'importance des cérémonies commémoratives est-elle proportionnée? 16 Quels événements aime-t-on dramatiser aux États-Unis? 17 Comment a-t-on célébré l'anniversaire de Chopin? 18 Où se trouve la Bibliothèque Nationale? 19 Que trouve-t-on à la Bibliothèque Nationale? 20 Que fait-on d'ordinaire à l'occasion d'un anniversaire? 21 Que veulent dire les lettres P. T. T.? 22 Y a-t-il beaucoup de bustes et de statues dans les villes de France? 23 Ces monuments sont-ils toujours des chefs-d'œuvre? 24 Que font fréquemment les journaux? 25 Est-il toujours facile de se défaire des statues sur les places publiques? 26 Qu'est-ce que de jeunes peintres ont placé un jour au Parc Monceau? 27 Pourquoi ont-ils placé cet écriteau?

20 Rues de Paris

1 Sur quel boulevard Bill et Raymond sont-ils? 2 Pourquoi Bill est-il déconcerté par certaines rues de Paris? 3 Quels sont les trois noms du boulevard? 4 Comment Raymond explique-t-il ces changements? 5 Y a-t-il beaucoup de rues qui changent de nom? 6 Qu'est-ce que c'est qu'un *Indispensable?* 7 Dans quelle ville du Canada la rue principale change-t-elle trois ou quatre fois de nom? 8 Comment s'explique souvent le changement de nom d'une rue? 9 Quand la Bastille a-t-elle été détruite? 10 Quel est l'avantage du système employé à New York? 11 Ce système est-il employé pour toutes les rues de New York? 12 Connaissez-vous une rue de Paris au nom très pittoresque? 13 Quelle est l'origine de ce ncm? 14 Y a-t-il beaucoup de rues qui portent le nom d'un saint? 15 Pourquoi une rue s'appelle-t-elle *rue Saint-Étienne?* 16 Quand vivait saint Étienne? 17 Où habitait-il? 18 Quels Américains célèbres ont une

rue à Paris? 19 Qui était Raspail? 20 Beaucoup de gens savent-ils qui était Raspail? 21 Quelle idée a Bill? 22 Quel est l'inconvénient de cette idée? 23 Où se trouve la *rue des Mauvais Garçons?* 24 Qui étaient peut-être ces mauvais garçons? 25 Dans quelle ville se trouvait la *rue des Corps Nus Sans Tête?*

21 *Un Sport inusité*

1 Qu'est-ce que Bill voit un jour sur la table de Raymond? 2 Qu'est-ce que c'est que la spéléologie? 3 Ce sport est-il populaire en France? 4 Y a-t-il beaucoup de gens qui le pratiquent? 5 Est-ce que c'est un sport pour les amateurs? 6 Comment descend-on dans les cavernes? 7 Qui Raymond a-t-il accompagné dans ses explorations? 8 Y a-t-il beaucoup de cavernes en France? 9 Dans quelle région sont-elles particulièrement nombreuses? 10 Avez-vous entendu parler de l'homme de Cro-Magnon? 11 Où Bill a-t-il vu les os de l'homme de Cro-Magnon? 12 Où se trouve le Musée de l'Homme? 13 Quand vivait l'homme de Cro-Magnon? 14 Pourquoi la région du Périgord est-elle célèbre? 15 Quels dessins trouve-t-on dans les cavernes préhistoriques? 16 Est-il dangereux de visiter les grottes de Cro-Magnon? 17 Quel attrait offre l'exploration des gouffres? 18 De quoi les parents de Raymond ont-ils peur? 19 Les accidents sont-ils fréquents? 20 Quel est le principal danger des explorations souterraines? 21 Avez-vous déjà visité des cavernes? 22 Quelles formations trouve-t-on souvent dans les cavernes? 23 Quelle faune y trouve-t-on? 24 Qu'est-ce qui, un jour, a frappé Raymond de terreur? 25 Quel conseil Bill donne-t-il à son ami? 26 Bill accepte-t-il l'offre que lui fait Raymond d'explorer une caverne? 27 Qu'est-ce que Bill décide de faire au lieu d'accepter l'offre de son ami?

22 *Le Vieux Paris*

1 De quoi parlent Ann et Bill? 2 Quelle est la partie de Paris la plus ancienne? 3 Quels endroits célèbres sont dans la partie centrale? 4 Qu'est-ce que c'est que l'Île de la Cité? 5 Quel est l'ancien nom de Paris? 6 A quoi Bill compare-t-il la croissance de Paris? 7 Quel est le nom de la rue dont parle Bill? 8 Les fortifi-

cations existent-elles toujours? 9 Par quoi les anciennes fortifications ont-elles été remplacées? 10 Quand la Bastille a-t-elle été détruite? 11 Qu'est-ce qu'il y avait à côté de la Porte Saint-Denis au temps de Louis XIV? 12 Quand Louis XIV vivait-il? 13 Quand a-t-on aménagé la Place de la Concorde? 14 Pourquoi lui a-t-on donné ce nom? 15 Qui a fait bâtir l'Arc de Triomphe? 16 Pourquoi l'appelle-t-on l'Arc de Triomphe de l'Étoile? 17 Est-ce que l'obélisque dont parle Ann a été rapporté d'Égypte par Napoléon? 18 Pourquoi alors est-il à Paris? 19 Qui était Haussmann? 20 Quand la tour Eiffel a-t-elle été construite? 21 Est-ce qu'elle est très haute? 22 Pourquoi a-t-on été sur le point de la démolir? 23 Qu'est-ce qui l'a sauvée? 24 Quel palais a été construit en 1937? 25 Quelle sorte de salle de spectacle y a-t-il dans ce Palais? 26 A quelle occasion Ann est-elle allée au Palais de Chaillot? 27 Comment s'appelle le musée anthropologique du Palais de Chaillot? 28 Quelle espèce de bâtiment est l'École Militaire? 29 Qu'est-ce que Bill espère avoir l'occasion de faire un jour?

23 Plan d'urbanisme

1 De quoi parle-t-on beaucoup ces jours-ci? 2 A quelle distance le Rond-Point de la Défense est-il de la Place de la Concorde? 3 Qu'est-ce qu'on aménagera autour du Rond-Point actuel? 4 Où sont la circulation et le parking? 5 Pourquoi Bill dit-il: Bienheureux piétons? 6 Où sont les immeubles réservés aux affaires? 7 Pourquoi les villes nouvelles sont-elles souvent d'une monotonie désespérante? 8 Quels sont les édifices les plus bas? 9 Y a-t-il des gratte-ciel dans l'Île de la Cité? 10 Où va-t-on en construire un? 11 Où parle-t-on de construire de nouvelles Halles? 12 Où certains Parisiens vont-ils prendre une soupe à l'oignon à trois ou quatre heures du matin? 13 Les Halles sont-elles une cause d'embouteillage? 14 Combien d'automobiles y a-t-il dans la région parisienne? 15 Beaucoup de gens regretteraient-ils la disparition des Halles? 16 De quand date le dernier grand plan d'urbanisme parisien? 17 Combien de maisons et bâtiments Haussmann a-t-il détruits? 18 Comment dit-on «slums» en français? 19 Y a-t-il d'ordinaire le chauffage central dans un taudis? 20 Quand beaucoup de maisons parisiennes ont-elles été construites? 21 Ces maisons ont-elles été toujours bien entretenues? 22 Combien d'habitants y a-t-il dans l'agglomération

parisienne? 23 Comment encourage-t-on les industries parisiennes à émigrer en province? 24 Comment le terrain laissé vacant est-il utilisé? 25 Est-ce qu'on peut construire de nouvelles usines à Paris? 26 Y a-t-il un véritable centre urbain dans le centre de la France? 27 Ces problèmes sont-ils particuliers à la France et aux États-Unis? 28 Le monde actuel est-il un monde qui ne change pas?

24 *Conversation sur l'économie*

1 Que dit Bill au sujet des cultivateurs? 2 Qu'est-ce qu'ils viennent de faire? 3 Quelle est la cause de leur mécontentement? 4 Pourquoi y a-t-il maintenant des surplus? 5 Le gouvernement fait-il des efforts pour contrôler les prix? 6 Quels agriculteurs ont de la peine à joindre les deux bouts? 7 Que croyait Bill au sujet de l'agriculture française? 8 A-t-on voulu augmenter la production agricole aux États-Unis? 9 Est-ce qu'on peut augmenter indéfiniment la consommation des produits agricoles? 10 La France est-elle encore un pays surtout agricole? 11 Pourquoi est-il difficile d'établir un prix uniforme pour le blé? 12 Pourquoi y a-t-il plus d'uniformité dans le coût des produits industriels? 13 Dans quelles industries chaque pays peut-il se spécialiser? 14 Quelle est une des raisons du succès du Marché Commun? 15 Les tarifs douaniers entre les pays du Marché Commun sont-ils très élevés? 16 Chaque pays a-t-il conservé tous ses droits? 17 Quelle est l'origine du Marché Commun? 18 D'où est venue l'idée? 19 Combien de nations ont conclu un accord? 20 Connaissez-vous des villes industrielles en Europe? 21 Le Marché Commun est-il la seule cause de la prospérité économique de l'Europe occidentale? 22 Quelles habitudes ont changé en France? 23 L'automobile est-elle toujours un luxe en France? 24 Combien de gens le Marché Commun groupe-t-il? 25 Connaissez-vous des entreprises industrielles américaines qui se sont installées en France? 26 Quelques Français considèrent-ils cela avec inquiétude? 27 Quelle espèce de corde l'ancien Grec a-t-il remise à sa lyre? 28 Croyez-vous qu'il soit possible d'arriver à un accord satisfaisant pour tous?

25 *Notre-Dame de Paris*

1 Est-ce que la cathédrale est très vieille? 2 Quand a-t-elle été construite? 3 Comment s'appelle en français la charte accordée par

Jean sans Terre à ses sujets? 4 Les cathédrales ont-elles souvent besoin d'être réparées? 5 Où Jack voit-il un échafaudage? 6 Qu'est-ce qu'on est en train de réparer? 7 Est-ce que le temps est le seul élément destructeur? 8 Comment appelle-t-on la ligne de statues sur la façade? 9 Pourquoi l'appelle-t-on la galerie des Rois? 10 Que sont devenues les statues pendant la Révolution française? 11 De quand datent les statues actuelles? 12 Quelles machines avaient les gens au moyen âge? 13 Y avait-il alors des architectes? 14 Le travail de construction était-il été dirigé par un seul maître? 15 La travail de construction était-il laissé à la fantaisie du maître? 16 Quelle scène était représentée au portail central? 17 Retrouve-t-on cette scène dans d'autres cathédrales? 18 Que fait l'ange qui occupe le centre de la scène? 19 Quels personnages y a-t-il parmi les damnés? 20 Où sont placés les élus? 21 Quelle était la principale préoccupation des constructeurs de cathédrales? 22 Qui expliquait aux fidèles le symbolisme des cathédrales? 23 Quelle impression Jack a-t-il quand il entre dans la cathédrale? 24 Y a-t-il beaucoup de monde à l'intérieur? 25 Pourquoi Jack et Bill marchent-ils avec précaution?

26 Plaisirs et Distractions

1 Y a-t-il beaucoup de cafés à Paris? 2 Ces cafés sont-ils brillamment illuminés? 3 Où les gens s'installent-ils volontiers pendant la belle saison? 4 Pourquoi beaucoup de Français vont-ils au café? 5 Quand y vont-ils? 6 Y vont-ils pendant la semaine? 7 Est-ce que la coutume d'aller au café est nouvelle? 8 De quand date le Café Procope? 9 Pourquoi était-il célèbre au dix-huitième siècle? 10 Les littérateurs et les artistes fréquentent-ils toujours les cafés? 11 De quoi parle-t-on dans les cafés? 12 Quel spectacle peut-on y observer? 13 Ce genre de distraction est-il commun aux États-Unis? 14 Pourquoi beaucoup d'étrangers se plaisent-ils à Paris? 15 Est-il d'usage de se promener en *jeans* sur l'Avenue de l'Opéra? 16 A quoi les Français attachent-ils beaucoup d'importance? 17 Quelle remarque fait Jack à propos des usages du pays où l'on est? 18 Les Américains comprennent-ils toujours les Français? 19 Qu'est-ce que les Européens reprochent parfois aux Américains? 20 L'ancienne Grèce glorifiait-elle ses athlètes? 21 Quels sont les sports les plus populaires aux États-Unis? 22 Quelles qualités Jack admire-t-il chez

les Français? 23 Quelles qualités admire-t-il chez les Américains? 24 Croit-il que ces qualités sont très importantes? 25 Bill est-il d'accord avec son ami? 26 Pourquoi lui propose-t-il d'aller s'asseoir à la terrasse d'un café?

27 *Dans la cuisine*

1 Où la scène se passe-t-elle? 2 Qu'est-ce que Mme Brégand est en train de faire? 3 Où lit-elle une recette? 4 Pourquoi prépare-t-elle le dîner? 5 Est-ce qu'elle fait souvent la cuisine? 6 Pourquoi ose-t-elle à peine entrer dans la cuisine lorsque la cuisinière y est? 7 Qu'est-ce que Jacqueline pense de sa mère comme cuisinière? 8 Pourquoi Mme Brégand dit-elle à Jacqueline de lui apporter des champignons et des œufs? 9 Est-il très difficile de faire une omelette aux champignons? 10 Où Bill trouve-t-il la recette de l'omelette aux champignons? 11 Quel proverbe cite-t-il? 12 Comment s'appelle l'ustensile de cuisine dans lequel on fait une omelette? 13 Qu'est-ce que Jacqueline pense du style du livre de cuisine? 14 Quelle question M. Brégand pose-t-il à Bill en entrant dans la cuisine? 15 Quelle est en général la spécialité des Américains qui font la cuisine? 16 Qu'est-ce que M. Brégand pense de la viande en Amérique? 17 Est-ce qu'il aime la mayonnaise sur une gelée de fruits? 18 Pourquoi pas? 19 Quand doit-on préparer une mayonnaise? 20 Quand la mayonnaise a-t-elle été inventée? 21 Où se trouve la ville de Port-Mahon? 22 Pourquoi le maréchal est-il allé à Port-Mahon? 23 La viande était-elle bonne? 24 Qu'est-ce que le maréchal a demandé à son cuisinier? 25 Comment a-t-on appelé cette sauce? 26 Comment ce nom est-il devenu «mayonnaise»? 27 Est-ce que M. Brégand pourrait préparer une mayonnaise?

28 *Son et Lumière*

1 Où Bill et Raymond sont-ils allés en excursion? 2 Qui, au temps de la Renaissance, a fait construire là de magnifiques résidences? 3 Les châteaux sont-ils nombreux dans la région de la Loire? 4 Quel est le nom de quelques-uns de ces châteaux? 5 A quel moment Raymond propose-t-il de visiter Chambord? 6 Bill et

lui ont-ils visité les autres châteaux la nuit? 7 Dans quels pays d'Europe les spectacles Son et Lumière existent-ils? 8 Y a-t-il des spectacles de ce genre aux États-Unis? 9 A qui l'initiative de ces spectacles est-elle due? 10 Qui était Robert-Houdin? 11 Dans quelles circonstances son petit-fils a-t-il eu l'idée de Son et Lumière? 12 Tous les châteaux de la région sont-ils encore habités? 13 L'entretien de ces châteaux est-il coûteux? 14 Combien de pièces y a-t-il dans le château de Chambord? 15 Qui a fait construire Chambord? 16 Pourquoi François Premier venait-il parfois à Chambord? 17 Avec qui venait-il? 18 Par qui le château était-il habité en l'absence du roi? 19 Laquelle de ses comédies Molière a-t-il jouée à Chambord? 20 Où le roi était-il assis pour assister à la représentation? 21 A quelle heure Bill et Raymond arrivent-ils à Chambord? 22 Quel souvenir une voix évoque-t-elle? 23 Qu'est-ce qu'on entend au loin? 24 Quels monuments choisit-on pour les spectacles Son et Lumière? 25 Par quoi l'illusion est-elle créée? 26 Combien de temps le spectacle dure-t-il? 27 Comment finit-il?

Vocabulary

ABBREVIATIONS

abbr	abbreviation	*intrans*	intransitive
adj	adjective	*lit*	literally
adv	adverb	*m*	masculine
art	article	*n*	noun
* (asterisk)	aspirate h	*obj*	object
condl	conditional	*p part*	past participle
conj	conjunction	*pers*	personal
contr	contraction	*pl*	plural
dem	demonstrative	*poss*	possessive
f	feminine	*pr*	present
fut	future	*prep*	preposition
imper	imperative	*pron*	pronoun
imperf	imperfect	*rel*	relative
ind	indicative	*sg*	singular
inf	infinitive	*subj*	subjunctive
interrog	interrogative	*trans*	transitive

NOTE

We have included in the vocabulary practically all the forms of irregular verbs that occur in the text and of regular verbs used in the first half-dozen sketches. Likewise, we have listed all the words used in the book — even those whose form and meaning are identical in the two languages. The purpose of identifying forms and words that students "should know" is not to spare them the effort of analysis and study, but to speed up the process of learning to read, to give them as quickly as possible the know-how which can be got only by the actual experience of reading in the foreign language.

a

a: il a *pr ind 3rd sg of* **avoir; il y a** there is, there are
à at, in, into, to
abandon *m* desertion
abandonner to abandon, leave
aboiement *m* barking
abord: d'abord first; **tout d'abord** first of all
abri *m* shelter; **à l'abri de** protected from
abriter to shelter, to house
absence *f* absence; **en son absence** in his absence
absolument absolutely; **voulait absolument** insisted on
abuser de to abuse, to take advantage, to use too freely
accablant(e) overwhelming
accepter to accept
accès *m* access
accessoire *m* accessory
accident *m* accident
accompagner to accompany
accomplir to accomplish, to bring about, to complete
accord *m* agreement; **d'accord** in agreement; agreed!
accorder to grant; **s'accorder** to agree; **s'accorder mal** to disagree
accroissement *m* increase, growth
achat *m* purchase
achète *pr ind 3rd sg of* **acheter**
acheter to buy
acheteur *m* buyer
acier *m* steel
acquérir to acquire
acquis *p part of* **acquérir**
acquisition *f* acquisition
acropole *f* Acropolis
acte *m* act
acteur *m* actor
actif, active active, energetic
actualité *f* actuality; **actualités** current events; **d'actualité** of the present
actuel(le) present day, of the present; **à l'heure actuelle** at present
actuellement at present
adaptation *f* adaptation
adapter to adjust; **s'adapter** to adapt oneself
admettre to admit
administration *f* administration
admirable admirable, amazing
admirablement admirably
admiration *f* admiration
admire *pr ind 3rd sg of* **admirer**
admirer to admire
admis *p part of* **admettre**
admission *f* admission
adopter to adopt
adorer to adore, to be crazy about
adresser: s'adresser à to speak to
affaire *f* affair (business); **ses affaires** his things; **aux Affaires Etrangères** in the Foreign Office; **se tirer d'affaire** to get along all right
affecter to affect
affiche *f* sign
afficher to post
affluence *f* crowd
afin de in order to
Afrique *f* Africa
âge *m* age; **le moyen âge** the Middle Ages; **d'un certain âge** elderly
âgé(e) aged
agent: agent de police *m* policeman
agglomération *f* built up area; **l'agglomération parisienne** greater Paris
agir: s'agir de to be a question of; **il s'agit de** it is a question of
agit: s'agit *pr ind 3rd sg of* **s'agir**
agrandir to become larger
agréable pleasant
agriculture *f* agriculture
ai: j'ai *pr ind 1st sg of* **avoir**
aide *f* aid, help; **à l'aide de cordes** with the help of ropes
aider to help
ailleurs elsewhere; **d'ailleurs** moreover, besides, any way
aimablement amiably, in a kindly manner
aimer to like, to love
ainsi thus; **ainsi de suite** and so on; **pour ainsi dire** so to speak; **ainsi que** as well as
air *m* air; tune; **avoir l'air** to look,

seem; **en plein air** in the open air
aisé easy
ait *pr subj 3rd sg of* **avoir**
ajouter to add
algèbre *f* algebra
alimentation *f* food
allais: j'allais *imperf ind 1st sg of* **aller**
Allemagne *f* Germany
Allemand *m* German
aller to go; **allez-y** go ahead, go there
aller et retour round trip
allez: vous allez *pr ind 2nd pl of* **aller**
allons *imper 1st pl of* **aller**
alors then, at that time
Alpes *f pl* Alps
alpinisme *m* mountain climbing
alsacien(ne) Alsatian
altitude *f* height, altitude
amant, amante sweetheart
amateur *m* amateur; lover of something
ambition *f* ambition
ambulant(e) itinerant
âme *f* soul
amélioration *f* improvement
aménagement *m* planning, laying out
aménager to arrange, to lay out, to open up; **faire aménager** to arrange, to lay out
amener to bring about, to bring along
Américain(e) American; **américain(e)** *adj* American
Amérique *f* America
ami, amie friend
Amiens cathedral city north of Paris
amour *m* love
amphithéâtre *m* amphitheatre, lecture room
amusant amusing, funny
amuser to amuse; **s'amuser** to pass the time away, to have fun
an m *year*; **tous les ans** every year; **le jour de l'An** New Year's Day
analogie *f* analogy
ancêtre *m* ancestor
ancien(ne) former, old; **ancien camarade** old friend; **meubles anciens** antique furniture; **Ancien Testament** Old Testament
âne *m* donkey
ange *m* angel
angle *m*: **angle droit** right angle
Angleterre *f* England
animé animated, alive
Anglais *m* Englishman
angoisse *f* anguish
animal *m* animal, beast
animation *f* animation, bustle
année *f* year
anniversaire *m* anniversary, birthday
annonce *f* announcement
anthropologie *f* anthropology
août August; **le mois d'août** August
apercevoir to notice
aperçoit *pr ind 3rd sg of* **apercevoir**
apparaissent *pr ind 3rd pl of* **apparaître**
apparaître to appear
appareil *m* apparatus
apparemment apparently
apparence *f* appearance; **à l'apparence prospère** prosperous looking
apparent(e) apparent
appartement *m* apartment
appartenir à to belong to
appartient *pr ind 3rd sg of* **appartenir**
appel *m* appeal; **faire appel à** to appeal to
appeler to call
application *f* application
appliquer: s'appliquer to apply
apporter to bring
apportez *imper of* **apporter**
apprécier to appreciate
apprendre à to learn to
approprié appropriate
approvisionner to supply; **s'approvisionner** to get one's provisions
appui *m* support
après after; **d'après** according to
après-midi *m or f* afternoon; **l'après-midi** in the afternoon
aquarium *m* aquarium
aptitude *f* aptitude, fitness
arbitrairement arbitrarily

arbre *m* tree
arc *m*: **Arc de Triomphe** Arch of Triumph
arcade *f* arcade
archaïque archaic, out-of-date
architecte *m* architect
architecture *f* architecture
argent *m* money; silver
argile *f* clay
argument *m* argument
aristocrate *m* aristocrat
aristocratique aristocratic
Arménien *m* Armenian
arrêt *m* stop; **sans arrêt** continually
arrête: il s'arrête *pr ind 3rd sg of* **s'arrêter**
arrêter to stop *(trans)*; **s'arrêter** to stop *(intrans)*
arrière *m* the rear
arrivant *pr part of* **arriver**
arrive *pr ind 3rd sg of* **arriver**
arrivé *p part of* **arriver**
arrivée *f* arrival
arriver to arrive, to happen, to succeed; to reach
art *m* art; **art de prédire** skill in predicting
artère *f* arterial street
artichaut *m* artichoke
article *m* article
artificiel(le) artificial
artisan *m* artisan, craftsman
artiste *m* artist
artistique artistic
ascenseur *m* elevator
Asie *f* Asia
aspect *m* aspect
asperge *f* asparagus
aspiration *f* desire
asseoir to seat; **s'asseoir** to sit down
assez enough, rather
assiégé *m* person besieged
assiégeant *m* person besieging
assiéger to lay siege to
assis *p part of* **asseoir**
assis(e) seated
assister à to attend, to be present at
association *f* association
associer to associate
assourdir to deafen
assourdissant deafening
assurément surely
assurer to assure; to insure
athlète *m* athlete
atomique atomic
attacher to tie, to attach; **mal attaché** badly tied, poorly attached
attarder: s'attarder to linger
atteindre to attain, to reach
atteint: il atteint *pr ind 3rd sg of* **atteindre**
attend *pr ind 3rd sg of* **attendre**
attendez *imper of* **attendre**
attendre to expect, to wait for; **s'attendre** to expect; **en attendant** meanwhile
attention *f* attention; concern; **Attention!** watch out!
attirer to attract
attraction *f* attraction
attrait *m* attraction
attraper to catch
attrayant attractive
au to the [*contracted form of* **à** + **le**]
auberge *f* inn; **auberges de la Jeunesse** Youth Hostels
aucun(e) any; **sans aucun doute** without any doubt
audace *f* boldness, daring
audacieux(se) bold, audacious
au-delà beyond
au-dessus above
augmenter to increase
aujourd'hui today
auparavant before
auprès de near, with
aussi also; **aussi . . . que** as . . . as; **Aussi** *(at beginning of sentence)* and so
autant as much, as many; **autant que** as much as; **tout autant** quite as much
autel *m* altar
auto *m* or *f* car; **en auto** by car
autobus *m* bus
automation *f* automation
automatique automatic
automatiquement automatically
automobile *f* car
automobile *adj* automotive
automme *m* autumn
autorité *f* authority; **les autorités**

compétentes the responsible authorities
autoroute *f* turnpike, freeway
autour de around
autre other; **vous autres Américains** you Americans
autrefois formerly; **d'autrefois** of former times
autrement otherwise; in another way
Autriche *f* Austria
avalanche *f* avalanche
avancer: s'avancer to advance
avant before; **avant tout** above all; **bien avant** long before; **avant** *m* the front part
avantage *m* advantage
avec with
avenir *m* future
aventure *f* adventure; **tenter l'aventure** to try one's luck
avenue *f* avenue
avertir warn
avion *m* airplane
avis *m* opinion, advice; **à mon avis** in my opinion
avocat *m* lawyer
avoir to have; **avoir l'air de** to have the appearance of, to look; **avoir vingt ans** to be twenty; **avoir froid** to be cold; **il y a** there is, there are; **il y a dix ans** ten years ago
avouer to admit, to confess
axe *m* axis

b

baccalauréat *m* examination at the end of the courses in "lycée"; the degree
bagages *m pl* baggage
baigneuse *f* bather; **jolies baigneuses** bathing beauties
balance *f* scales
balcon *m* balcony
Balzac great French novelist (1799-1850)
banlieue *f* suburbs
bar *m* bar
barbe *f* beard
baromètre *m* barometer
bas *m* base, bottom
bas, basse low
bâtiment *m* building
bâtir to build
battre to beat
bavardent *pr ind 3rd pl of* **bavarder**
bavarder to gossip
beau, belle, beaux, belles beautiful, handsome; **il fait beau** the weather is fine; **Beaux-Arts** Fine Arts
beaucoup (de) many, much
beauté *f* beauty; **de toute beauté** perfectly beautiful
bébé *m* baby
Belgique *f* Belgium
belle *f of* **beau**
béret *m* beret
berger *m* shepherd
besoin *m* need; **avoir besoin de** to need
beurre *m* butter
bibliothèque *f* library; **Bibliothèque Nationale** National Library
bicyclette *f* bicycle
bien *adv* well; many, a great deal; **Eh bien** Well; **bien que** although; **le bien** the good, wealth; **Vous êtes bien Américain** You are very American
bienfaisant beneficent
bientôt soon; **à bientôt** I'll see you soon
biftek *m* steak
billet *m* ticket; note; **billet de première classe** first class ticket
bison *m* bison
bizarre strange
blanc, blanche white
blé *m* wheat
bleu, bleue blue
blond, blonde blond
bocal *m* glass jar
bœuf *m* beef, ox
boire to drink
bois *m* wood; **charbon de bois** charcoal; **Bois de Boulogne** park in Paris
bois: je bois *pr ind 1st sg of* **boire**
boisson *f* drink

boîte *f* box; **boîte de nuit** night club
boivent: ils boivent *pr ind 3rd pl of* **boire**
bon, bonne good
bonbon *m* candy
bonjour good morning, good afternoon
bonne *f* housemaid
bord *m* edge, side
border to border
bouche *f* mouth
bouchon *m* cork, floater
bouger to move, to budge
boulanger *m* baker; **un garçon boulanger** a baker's delivery boy
boulevard *m* boulevard; **les Grands Boulevards** one of the principal streets in the center of Paris
bouquet *m* bouquet, corsage
bouquiniste *m* dealer in old books
bourgeoisie *f* middle class; **la bonne bourgeoisie** the upper middle class
Bourgogne *f* Burgundy
bourse *f* scholarship, fellowship; **avec une bourse Fulbright** on a Fulbright fellowship
bout *m* end; **joindre les deux bouts** make both ends meet; **au bout de** at the end of, after
bouteille *f* bottle
boutique *f* shop
bouton *m* button
boutonnière *f* button-hole
branche *f* branch
bras *m* arm
bravement bravely
bravoure *f* bravery, gallantry
bref in short
Bretagne *f* Brittany
brièveté *f* brevity
brillamment brilliantly, brightly
brillant(e) brilliant, bright
briser to break
brouillard *m* fog
bronze *m* bronze
bruit *m* noise
brûler to burn
brun(e) dark complexioned, brunette
bûche *f* log
bureau *m* office
buste *m* bust
but *m* goal, objective
buvez: vous buvez *pr ind 2nd pl of* **boire**

C

c' *see* **ce**
ça *see* **cela**
çà: çà et là here and there
cabaret *m* cabaret
cabinet *m* small room; **cabinet de travail** study
cabriolet *m* two-wheeled buggy
cacahuète *m* peanut
cacher: se cacher to hide
cadeau *m* gift
café *m* coffee; café, bar
caisse *f* box
calcaire *m* limestone
calculer to calculate
calendrier *m* calendar
calme calm, quiet
camarade *m* comrade, friend
camion *m* truck
camionnette *f* light-truck
campagne *f* country; **à la campagne** in the country; **campagne de presse** newspaper campaign; **les campagnes** rural communities
camping *m* camping
candidat *m* candidate
canne *f* cane; **canne à pêche** fishing pole
canon *m* cannon, gun
capable able, capable
capitaine *m* captain
capitale *f* capital
caporal *m* corporal
captiver to catch, to capture
car for, because
caractère *m* character, nature
carotte *f* carrot
carrosse *m* carriage
carte *f* map; menu; **carte des vins** wine card
cartel *m* cartel, trust
catholique Catholic

cas *m* case; **en tout cas** in any case
casino *m* casino
casser to break; **se casser le cou** to break one's neck
cataracte *f* cataract
cathédrale *f* cathedral
cause *f* cause; **à cause de** because of
causer to talk, chat; to cause
caverne *f* cavern
ce it
ce, cet, cette that, this; **ces** those, these; **ce . . . -ci** this, that; **à cette heure-ci** at this time
ceci *demon pron* this
cela, ça *demon pron* that; **c'est ça** that's it; **ça va?** How goes it? **Comment ça va?** How are you?
célèbre famous
célébrer to celebrate
celle *see* **celui**
celles-ci *see* **celui-ci**
celui *m* **celle** *f* **ceux** *m pl* **celles** *f pl* the one, the ones; **celui-ci, celle-ci** this one, the latter
cent a hundred; **pour cent** percent
centaine *f* a hundred
centime *m* centime, 1/100 of a franc
central central
centre *m* center; **le Centre** the central part of France
cependant however
ce que which *(object)*
ce qui which *(subject)*
cercle *m* circle
cerf *m* stag, deer
cérémonie *f* ceremony
cerise *f* cherry
certain(e) certain; **d'un certain âge** elderly; **certains** certain people
certainement certainly
certes certainly
ces *see* **ce**
cesser to cease, stop
ceux *see* **celui**
chablis Chablis, a white Burgundy wine
chacun(e) each one
chahut *m* noise; **faire du chahut** to make an uproar
chaise *f* chair; **chaise pliante** folding chair
chaleur *f* heat
chambre *f* room; **chambre à coucher** bedroom
champagne *m* Champagne, sparkling wine from Champagne
champignon *m* mushroom
chance *f* luck; **vous avez de la chance** you are lucky; **quelle chance** what luck
change *pr ind 3rd sg of* **changer**
changement *m* change; **changement politique** political change
changer (de) to change; **changer de ligne** to change lines
chanson *f* song
chansonnier *m* street singer
chant *m* song, singing
chanter to sing
chanteuse *f* singer *fem*
chapeau *m* hat
chapelle *f* chapel
chaque each
charbon *m* coal; **charbon de bois** charcoal
charge *f* load
chargé (de) charged with, in charge of; loaded with; full of
charger to load
charmant(e) delightful, charming
charme *m* charm
charmé(e) delighted
chasse *f* hunt
chasser to hunt
chasseur *m* hunter
chat *m* cat; **pas un chat** not a soul
château *m* castle, château; **château fort** fortified castle
chaud(e) hot
chauffage *m* heating
chauffer to heat
chauffeur *m*: **chauffeur de taxi** taxi driver
chauve-souris *f* bat
chef *m* leader; **chef de troupe** scout leader
chef-d'œuvre *m* masterpiece
chemin *m* way, road
cheminée *f* chimney, fireplace
cher, chère dear
chercher to look, to look for; **vient**

chercher comes for; comes to get; **chercher à** to try
cheval, chevaux *m* horse(s), horsepower
chevalier *m* knight
cheveux *m pl* hair; **elle a les cheveux gris** she has gray hair
chez at the shop of; **chez tous les libraires** at all the book dealers'; **chez nous** at our house, in our country; **Chez Mme. Lange** at Mme. Lange's
chic stylish; nice; **chic type** a wonderful fellow
chiffre *m* number, figure
chimie *f* chemistry
chimique chemical
chirurgical surgical
choc *m* shock, blow
chœur *m* chorus
choisir to choose; **bien choisi** appropriate
choix *m* choice
choquant(e) shocking
chose *f* thing; **quelque chose** something; **autre chose** something else; **pas grand'chose** nothing much
chou(x) *m* cabbage
chrétien(ne) Christian
chrysanthème *f* chrysanthemum
chute *f* fall, spill
-ci *see* **ce**
ci: par ci par là here and there
ciel *m* sky
cierge *f* candle
cinéma *m* movies
cinq five
cinquantaine about fifty **la cinquantaine** the fiftieth year
cinquante fifty
cinquantenaire *m* fiftieth anniversary
cinquième fifth; **classe de cinquième** second year of lycée
circonstance *f* circumstance
circulation *f* traffic; trade
cire *f* wax
clair clear, well lighted
classe *f* class
client(e) customer
clientèle *f* customers
climat *m* climate
coalition *f* coalition
coca-cola *m* coca-cola
cœur *m* heart; **en plein cœur** right in the heart
coin *m* corner
collection *f* collection
collectionner to collect
collège *m* secondary school other than lycée
collègue *m* colleague
coloré(e) colored
combatif(ve) pugnacious
combattant *m* combatant; **ancien combattant** veteran
combien? how much? how many? **combien de temps?** how long?
Comédie-Française *f* French repertory theater in Paris
comédien *m* actor
comique comic
comité *m* committee
comme as, like
commémoratif(ve) commemorative
commémorer to commemorate
commencement *m* beginning
commencent *pr ind 3rd pl of* **commencer**
commencer à to begin, commence
commencez *imper of* **commencer**
comment how **Comment ça va?** How goes it? How are you?
commerçant *m* merchant; *adj* commercial
commerce *m* business; trade
commercial(e) commercial
commode convenient
commodité *f* convenience
commun(e) common
communication *f* communication
compagnie *f* company
comparer to compare
compatriote *m* fellow countryman
compenser to make up for, to compensate for
complet, complète complete
complètement completely
compléter to complete
complexe complex
complexité *f* complexity
composé (de) made up (of)
composer to compose

composition *f* composition
compositeur *m* composer
compréhensible comprehensible
comprendre to understand; to include; **cela se comprend** that is comprehensible
comprends: je comprends *pr ind 1st sg of* **comprendre**
comprenez: vous comprenez *pr ind 2nd pl of* **comprendre**
compris *p part of* **comprendre; y compris** including
compte *m* account; **tenir compte de** to take into account
compter to count; **sans compter** without counting
compte-rendu *m* account
concentré concentrated
concentrique concentric
concerner to concern; **en ce qui concerne** as for, as far as . . . is concerned
concert *m* concert
concierge *m or f* janitor, caretaker
conclure to conclude
conclut *pr ind 1st sg of* **conclure**
concorde *f* peace
concurrence *f* competition
concurrent *m* competitor
condition *f* condition; **dans ces conditions** in these circumstances; **conditions d'existence** living conditions; **à condition que** if
conduire to drive; to conduct, to lead, to take
conduit *pr ind 3rd sg of* **conduire**
conduite *f* conduct
confesser to confess
configuration *f* lie of the land
conflit *m* conflict
confort *m* comfort
confortable comfortable
confrère *m* colleague
confusion *f* confusion
congé *m* leave; **jour de congé** day off
congrès *m* convention
conjugal conjugal; **l'union conjugale** married life
connais: je connais *pr ind 1st sg of* **connaître**
connaissance *f* acquaintance; **faire leur connaissance** meet them
connaissent *pr ind 3rd pl of* **connaître**
connaisseur *m* connoisseur, expert, good judge
connaît *pr ind 3rd sg of* **connaître**
connaître to know, to be acquainted with
connu *p part of* **connaître**
conquête *f* conquest
consacrer to consecrate; **consacré par l'usage** accepted by usage
consciemment consciously
conscient(e) conscious
conseil *m* advice, counsel; **sages conseils** wise advice
conseille *pr ind 3rd sg of* **conseiller**
conseiller to advise
conséquence *f* result
conséquent: par conséquent consequently, therefore
conservateur(trice) conservative
conserver to keep, to preserve *(trans)*; **se conserver** to keep, to be kept
considérable considerable; extensive
considérablement considerably
considération *f* consideration
considéré *p part of* **considérer**
considérer to consider
consister to consist
consoler to console
consommation *f* consumption
consommer to consume, to use, to use up
constamment at all times, constantly
constater to note
constituer to constitute
constitution *f* constitution
construire to build
construit *p part of* **construire**
consulter to consult
contagieux(euse) contagious
contemporain *m* contemporary
contenir to contain
content(e) happy, glad
contenter: se contenter to be content
contenu *p part of* **contenir**
conteur *m* story teller

continu(e) continual
continue *pr ind 3rd sg of* **continuer**
continuer to continue
continuité *f* continuity
contour *m* outline, circuit
contrainte *f* restraint
contraire contrary
contrairement à contrary to
contraste *m* contrast
contravention *f* police ticket; **dresser une contravention** give a ticket
contre against; **par contre** on the other hand; **le pour et le contre** the pros and the cons
contribuer à to contribute to
contribution *f* contribution
contrôle *m* control
contrôler to control
convaincu convinced
convenir to suit
conversation *f* conversation
copieusement copiously
cor *m* horn
corde *f* string; rope
corps *m* body
correspondance *f* connection
correspondre to correspond
corruption *f* corruption
corsage *m* blouse
cosmopolite cosmopolitan, international
costume *m* costume
côte *f* slope, climb, coast; **la Côte d'Azur** the Riviera; **côte à côte** side by side
côté *m* side; **du côté de** on the side of; **à côté de** beside, alongside
côtelette *f* chop
cou *m* neck
coucher: se coucher to go to bed, to lie down
couler to flow
couleur *f* color
coup *m* blow; **coup d'Etat** seizing of power; **un coup d'œil** a glance; **tout à coup** suddenly
coupable guilty
cour *f* court, yard
courage *m* courage
courant running
coureur *m* racer
couronner (de) to crown with
cours *m* course; **au cours de** in the course of; **en cours de route** in its course; **cours d'eau** water course
course *f* race
court(e) short
couteau *m* knife
coût *m* cost
coûter to cost
coûteux(euse) expensive
coutume *f* custom
couvent *m* convent
couvert *p part of* **couvrir**
couverture *f* cover
couvrir to cover
cow-boy *m* cowboy
crabe *m* crab
craindre to fear
crèche *f* manger, crèche
crédit *m* credit; **à crédit** on credit
créer to create
crème *f* cream
crie *pr ind 3rd sg of* **crier**
crier to cry, to shout
crise *f* crisis
critique critical
croire to believe, to think; **je crois bien** I should say so; **se croire** to believe oneself to be
crois: je crois *pr ind 1st sg of* **croire**
croissance *f* growth
croissant(e) growing
croyais: je croyais *imp ind 1st sg of* **croire**
croyez: vous croyez *pr ind 2nd pl of* **croire**
cru *p part of* **croire**
cruauté *f* cruelty
crudité *f* crudity, crudeness
cube *m* cube
cuisine *f* kitchen; cooking
cuisinière *f* cook; kitchen stove
cultivateur *m* farmer
culture *f* farming, crop; culture
culturel cultural
cure *f* treatment; **faire une cure** follow a treatment
curieux(se) arresting, curious
curieusement inquiringly; strangely
curiosité *f* curiosity; curio

CV: cheval vapeur horsepower
cycle *m* cycle, period
cycliste *m* cyclist; **course cycliste** bicycle race
cynique *m* cynic

d

dalle *f* paving stone
dame *f* lady
damné *m* damned; accursed
dancing *m* night club
danger *m* danger
dangereux(se) dangerous
dans in, into; **dans quelques jours** within a few days; **dans les 1400 dollars** in the neighborhood of $1400
dater (de) to date (from)
davantage more
de of; from; **du, de la, des** of the; from the; some
debout standing
début *m* beginning
débutant *m* beginner
décembre December
décerner to grant
décentraliser to decentralize
décharger to unload
décide *pr ind 3rd sg of* **décider**
décider to decide
décision *f* decision, ruling
déclarer to declare
déconcertant disconcerting
décor *m* setting, scenery
décoration *f* decorations
décoré decorated; wearing a ribbon
découverte *f* discovery
découvrir to discover
dédale *m* labyrinth
dedans within, therein
défaire: se défaire de to get rid of
défaut *m* lack; default
défense *f* defense
définition *f* definition
degré *m* degré, level
dégringolade *f* tumble
dégringoler to tumble
dehors *m* outside; **en dehors de** outside of, aside from
déjà already
déjeuner to lunch, to have lunch; *m* lunch, luncheon
delà: au delà de beyond
délabré dilapidated
Delacroix French painter of Romantic period (1798-1863)
délicat(e) delicate, subtle
délicieux(euse) delightful; delicious
délire: en délire wild
demain tomorrow
demande *pr ind 3rd sg of* **demander**
demander to ask; **se demander** to wonder
demeure *f* dwelling
demeurer to live
demie *f* half
demi-obscurité *f* semi-darkness
demoiselle *f* girl
démolir to tear down, to demolish
démolition *f* demolition
démon *m* demon
démonstration *f* demonstration
démontrer to prove, to demonstrate
départ *m* departure
dépasser to exceed, to pass; **qui a dépassé la cinquantaine** who is over fifty
dépêcher: se dépêcher to hurry
dépêchons-nous *imper 1st pl of* **se dépêcher**
dépend *pr ind 3rd sg of* **dépendre**
dépendre to depend
dépens: aux dépens de at the expense of
dépenser to spend
dépose *pr ind 3rd sg of* **déposer**
déposer to deposit, to place, to put down
depuis since; **qui est depuis longtemps** which, for a long time, has been; **depuis . . .jusqu'à** from . . . to
dernier, dernière last
dès as early as
des of the, some [*contracted form of* **de** + **les**]
désagréable disagreeable
descendent *pr ind 3rd pl of* **descendre**
descendre to go down, to unload,

to get off; to take down; to stay (at a hotel)
descente *f* descent
désert(e) deserted
désespérant depressing
déshonorer to dishonor
désignation *f* naming, designation
désir *m* desire
désirer to desire
désordre *m* disorder
désormais henceforth, hereafter
dessert *m* dessert
dessin *m* drawing
dessus on, upon; **au-dessus de** above
destination *f* destination
destiné à intended for
destructeur destructive
détail detail; **au détail** retail
détente *f* relaxation
détester to dislike, to hate
détruire to destroy
détruit(e) *p part of* **détruire**
dette *f* debt
deux two
deuxième second
devait: il devait *imperf ind 3rd sg of* **devoir**
devant in front of; before; **responsable devant l'Assemblée** responsible to the Assembly
devanture *f* store window
déveine *f* bad luck
développer: se développer to develop
devenir to become
deviennent: ils deviennent *pr ind 3rd pl of* **devenir**
deviner to guess
devoir *m* duty
devoir must, have to; to owe; **je dois** I must, I am supposed to; **je devais** I was supposed to; **j'ai dû** I must have, I had to; **je devrais** I should; **j'aurais dû** I should have; **ils devaient être** they must have been
dévotion *f* devotion; **dévotion particulière** special cult
devriez: vous devriez *condl 2nd pl of* **devoir** you should
diable *m* devil; **pauvre diable** poor fellow
dialogue *m* dialog
dictature *f* dictatorship; **c'est bien la dictature** it is certainly dictatorship
dictionnaire *m* dictionary
dieu *m* god; **Dieu merci** thank Heaven
différent(e) different
différer to differ
difficile difficult
difficilement with difficulty
difficulté *f* difficulty
digne worthy
dignité *f* dignity
dimanche *m* Sunday
dimension *f* dimension, size
diminuer to diminish
dîne: je dîne *pr ind 1st sg of* **dîner**
dîner to dine, to have dinner; *m* dinner
dînons *imper 1st pl of* **dîner**
dinosaure *m* dinosaur
diplôme *m* diploma; degree
dirai: je dirai *fut 1st sg of* **dire**
dire to say; **dites-moi** tell me; **dites donc** say; **c'est-à-dire** that is to say; **à vrai dire** to tell the truth; **vouloir dire** to mean; **c'est beaucoup dire** that is saying too much; **comme on l'a dit** as has been said; **se dire** to say to oneself
directement directly
directeur *m* director
direction *f* guidance, directing, overseeing; direction; **le comité de direction** executive committee
dirigeant *m* leader
diriger to direct
disais: je disais *imperf ind 1st sg of* **dire**
discipline *f* discipline; academic subject
discipliné disciplined
discours *m* speech
discrètement discretely
discutable open to discussion
discuter to discuss
disent *pr ind 3rd pl of* **dire**

disons: nous disons *pr ind 1st sg of* **dire**
disparaître to disappear; to die
disparition *f* disappearance
disparu *m* person who is dead
disparu *p part of* **disparaître**
dispersé scattered
dispersion *f* dispersion, scattering
disposé(e) disposed, inclined; **tout disposé** quite willing
disposer de to have at one's disposal
disposition *f* disposal
dissertation *f* dissertation
distance *f* distance; **à quelque distance** some distance away
distingué distinguished
distinguer to distinguish
distraction *f* amusement, pastime
distraire: se distraire to amuse oneself, to take relaxation
distribuer to distribute
dit *pr ind 3rd sg of* **dire**
dites *imper of* **dire**
divergence *f* difference; **divergence de vues** difference of opinion
divers various
diviser to divide
dix ten
dixaine about ten
dix-neuf nineteen; **dix-neuvième** nineteenth
doigt *m* finger
dois: je dois *pr ind 1st sg of* **devoir**
doit: il doit *pr ind 3rd sg of* **devoir**
dollar *m* dollar
domestique *m or f* servant
dominé dominated
dommage: c'est dommage it's too bad
donc then; therefore; consequently; **entrez donc** do come in; **dites donc** well *say!*
donne *pr ind 3rd sg of* **donner**
donner to give
dont whose, of whom, of which
dos *m* back
dose *f* dose
douanier: tarif douanier customs
douce *see* **doux**
doucement gently
doute *m* doubt; **sans doute** no doubt
douter (de) to doubt; **je n'en doute pas** I don't doubt it
doux, douce mild; soft
douzaine *f* dozen
dramatique dramatic
dramatisation *f* dramatization
dresser to set, to set up; **se dresser** to stand
droit *m* law; *adj* right, straight
droite: à droite to the right
du *see* **de**
dû *p part of* **devoir**
duc *m* duke
dur, dure hard
durée *f* duration
durable durable, lasting
durer to last
dysenterie *f* dysentery

e

eau *f* water; **eau courante** running water
échafaudage *m* scaffold
échanger to exchange
échelle *f* ladder
éclair *m* lightning
éclairer to light
éclat *m* burst
éclatant dazzling
école *f* school; **École des Beaux-Arts** School of Fine Arts; **Grandes Écoles** leading technical and professional schools
économie *f* economy
économique economic; inexpensive
écouter to listen
écraser to run over, to run down
écrier: s'écrier to exclaim
écrire to write
écrit *p part of* **écrire**
écrivain *m* writer
édifice *m* building
édition *f* edition
éducation *f* education
effacer to efface
effet *m* effect; **en effet** indeed, in

effect; that's right; **effets personnels** personal effects
efficace effective
efforcer: s'efforcer to try hard
effort *m* effort
également equally, also
égaler to equal
égalité *f* equality
égard: à son égard in regard to it
église *f* church
élection *f* election
électeur *m* voter, elector
électricité *f* electricity
électrique electric
élégant(e) elegant
élément *m* element
élémentaire elementary
élevé high; **peu élevé** not very high
élever to raise
élite *f* elite
elle she; her; it
éloquent(e) eloquent
élu *m* elect; chosen
embarrasser to embarrass
embellir to beautify
embouteillage *m* traffic jam; bottle neck
émérite expert
émettre to put out
émigrer to move out
éminent(e) eminent
emmener to take along
empêcher to prevent
empereur *m* emperor
emploi *m* use
employé *m* white-collar worker
employer to use
en in; to; **en France** in France
en *pron* of it; some; **en . . . trop** too much (of it); **en changer** to change (from) it
enceinte *f* walls around a city
encens *m* incense
enchanté(e) happy (to meet you); enchanted
encombrer to encumber
encore still; yet; **pas encore** not yet
encourager to encourage
endommagé damaged
endroit *m* place
endurance *f* endurance
énergie *f* energy, power
énergique energetic
enfance *f* childhood
enfant *m* child
enfer *m* hell
enfin finally
enfoncer: s'enfoncer to sink
enlevant *pr part of* **enlever; en enlevant** taking off
enlever to remove, to take off
ennui *m* annoyance
ennuyeux inconvenient; **c'est ennuyeux** it's too bad
énorme enormous
énormément de a great quantity of
enrouler to roll around
enseigne *f* sign; **enseignes peintes** painted signs
enseignement *m* instruction, teaching
ensemble *m* whole; *adv* together
ensuite then, afterwards
entend *pr ind 3rd sg of* **entendre**
entendre to hear; to understand; **entendre parler de** to hear of; **entendre dire que** to hear that; **on ne s'entend plus** people can no longer hear
entendu *p part of* **entendre; bien entendu** of course
enthousiasme *m* enthusiasm
entier, entière entire
entourer to surround
entraîner to drag away
entre *pr ind 3rd sg of* **entrer**
entre between; among; **quelques-uns d'entre eux** some of them
entrée *f* main course, meat course; entrance; admission
entreprise *f* enterprise, concern, firm; undertaking
entrer, entrer dans enter, come into, pull into
entretenir to keep up, to keep in repair
entretien *m* upkeep
entrez *imper of* **entrer**
envahir to invade
envie *f* desire; **avoir envie de** to want to, to feel like
environ about
environs *m pl* vicinity
envoient *pr ind 3rd pl of* **envoyer**

envoyer to send
épais(se) thick, heavy
épaule *f* shoulder
épique epic
épisode *m* episode
époque *f* period, time; **à l'époque biblique** in Biblical times
épreuve *f* test, trial; **mettre à l'épreuve** to test
éprouver to test
épuisé exhausted
équestre equestrian
équilibre *m* equilibrium, balance
équipe *f* team
équiper to equip
équivalent equivalent
ériger to erect
erreur *f* error
érudition *f* learning
escalier *m* stairs, staircase
espace *m* space
Espagne *f* Spain
Espagnol *m* Spaniard
espèce *f* kind; sort; **espèce de coalition** a sort of coalition
espère: j'espère *pr ind 1st sg of* **espérer**
espérer to hope; **j'espère bien** I certainly hope
esprit *m* mind, spirit, wit; **avoir l'esprit clair** to have a clear head
essaie *pr ind 3rd sg of* **essayer**
essayer to try
essence *f* gasoline
essentiel *m* essential, the main thing
est *pr ind 3rd sg of* **être**
est-ce que? *the interrogative formula* (*lit* is it that . . . ?)
estampe *f* print
esthète *m* esthete
estimer to esteem, to estimate
estomac *m* stomach
et and
établir to establish
établissement *m* plant
étage *m* floor, story; **maison à deux étages** three-story house
étalage *m* display
étape *f* stage (of a trip)
état *m* state, government; **en bon état** in good condition; **les États-Unis** the US; **aux États-Unis** in the US
été *m* summer
été *p part of* **être**
éteindre: s'éteindre to go out, to be extinguished
étendre: s'étendre to extend, to spread
êtes: vous êtes *pr ind 2nd pl of* **être; vous n'y êtes pas du tout** that isn't it at all
étoile *f* star
étonnement *m* astonishment
étonner to astonish
étrange strange, peculiar
étranger foreigner; **à l'étranger** abroad
être to be; *m* a being
étroit(e) narrow, strict
étroitement closely
étude *f* study
étudiant(e) student
étudier to study
Europe *f* Europe
européen, européenne *adj* European; **Européen** *m* European
eux they, them; **chez eux** to their house; **eux-mêmes** they themselves
éveil: en éveil awake, alive
éveiller to awaken, to stimulate
événement *m* event
éventuellement eventually
évêque *m* bishop
évidemment of course
évident obvious, evident
évocateur evocative, suggestive
évocation *f* act of remembering or recalling, evocation
évoquer to call to mind, to evoke
exactement exactly, precisely
exactitude *f* promptness
exagéré(e) exaggerated
exagérer to exaggerate, to go too far; **n'exagérez pas** don't go too far
examen *m* examination
examinateur *m* examiner
examine *pr ind 3rd sg of* **examiner**
examiner to examine
excellence *f* excellence
excellent(e) excellent

excepter to except
excepté except, excepting
exceptionnel(le) extraordinary
excessif(ive) excessive; high
excessivement excessively
excursion *f* excursion, trip
excuse: je m'excuse *pr ind 1st sg of* **s'excuser**
excuser to excuse; **s'excuser** to apologize
exécuter to execute
exemple: par exemple for example
exercer to exercise
exercice *m* exercise
exigeant particular, hard to please
exiger to require, to exact
exil *m* exile
existence *f* existence
existentialisme *m* existentialism
exister to exist
expédition *f* expedition
expérience *f* experience, experiment
expérimental experimental
expérimenté experienced
expérimenter to experiment
expert(e) expert, skilful
explication *f* explanation
explique *pr ind 3rd sg of* **expliquer**
expliquer to explain
exploit *m* exploit
exploration *f* exploration
explorer to explore
exporter to export
exposer to expose, to exhibit
exposition *f* exhibit, exposition
expression *f* expression
exprimer to express
extérieur(e) exterior, foreign
extraordinaire extraordinary
extrêmement extremely
extrémiste radical
extrémité *f* end

f

fable *f* fable
fabriquer to manufacture
façade *f* facade, front
face: en face de in front of; opposite
fâcher: se fâcher to get angry
facile easy
facilité *f* facility
faciliter to facilitate, to make easy
façon *f* way, manner; **la façon de frapper** the knock
Faculté *f* faculty; **Faculté des Lettres** that part of the University which is devoted to the teaching of Letters (Humanities)
faible weak; low
faillir to fail; **j'ai failli tomber** I almost fell
faim *f* hunger; **avoir faim** to be hungry; **avoir grand'faim** to be very hungry
faire to do, make; **faire un tour** take a walk; **faire une promenade** take a walk; **faire la cuisine** to cook; **faire remarquer** to call attention; **faire la connaissance de** to make the acquaintance of; **faire glisser** to slip *(trans)*; **il fait chaud** it is hot; **faites-le bien chauffer** heat it thoroughly; **faire partie de** to be a part of; **toute faite** ready made; **tout à fait** entirely; **cela ne fait rien** that makes no difference; **faire passer un examen** to give an exam
fais: tu fais *pr ind 2nd sg of* **faire**
faisceau *m* beam
fait *p part of* **faire**
fait: il fait *pr ind 3rd sg of* **faire**
fait *m* fact
faites: vous faites *pr ind 2nd pl of* **faire**
faites *p part f pl of* **faire**
falloir *impers verb* to have to; **il faut** one must, it is necessary; **il a fallu** it was necessary
fameux(euse) famous, much talked of
familier familiar
famille *f* family
fanatique de devoted to, crazy about
fantaisie *f* whim, caprice
farce *f* farce, low comedy
Far-West *m* the West
fatalement inevitably
fatigant tiring

fatigue *f* weariness, fatigue
fatigué(e) tired
faudrait: il faudrait *condl 3rd sg of* **falloir** it would take, it would require
faune *f* fauna, animal life
faut: il faut it is necessary, one must *pr ind 3rd sg of* **falloir**
faveur *f* favor
favorable favorable
favorablement favorably
favoriser to favor
féminin(e) feminine
femme *f* woman, wife
fer *m* iron; **en fer** of iron
ferai *fut 1st sg of* **faire**
ferme firm
ferme *f* farm, farmhouse
fermé *p part of* **fermer**
fermer to close, to shut, to enclose; **se fermer** to close *(intrans)*
fermeture *f* closing
fête *f* celebration
fêter to celebrate
feu *m* fire
feuille *f* leaf
février February
fidèle *m* faithful person
fier, fière proud
fierté *f* pride
fièvre *f* fever; **la fièvre typhoïde** typhoid fever
figure *f* face, figure
fil *m* thread
file *f* file; **à la file indienne** in single file
fille *f* daughter, girl; **jeune fille** girl
film *m* film
fils *m* son
fin *f* end
finalement finally
financier(ère) financial, monetary
finir to finish; **finit par payer** ends up by paying, finally pays; **d'avoir . . . fini** of having finished; **en finissant** finishing
finissez *imper of* **finir**
fixe stable
fixer to establish, to fix
flanqué(e) flanked; **flanqué de tours** flanked with towers
fleur *f* flower
fleuri(e) decorated with flowers; in bloom
fleuve *m* (large) river
flexible flexible
flocon *m* flake
flore *f* flora, vegetable life
florissant prosperous
flot *m* wave; flow, flowing
flotte *f* navy
flotter to float
foi *f* faith; **ma foi non,** no, I couldn't (*lit* no, by my faith!)
foie *m* liver
foire *f* fair, street fair
fois *f* time; **une fois** once; **à la fois . . . et** both . . . and, at the same time . . . and
Folies-Bergère Paris variety show
fonctionnaire *m* government employee
fond *m* bottom, back; **au fond d'un jardin** with a garden in front, at the back of a garden; **au fond** at bottom, in reality
fondamental basic
fondre to melt; **faire fondre** to have . . . melted
font *pr ind 3rd pl of* **faire**
force *f* force
forêt *f* forest
forgeron *m* blacksmith
formation *f* formation
forme *f* form; **sous toutes les formes** under any form; **en forme de** in the shape of
former to form
formule *f* formula, setup
fort, forte strong; good; *m* strong man; **fort des *Halles** strong men of the Halles
fortification *f* fortification
foule *f* crowd
fourchette *f* fork
fourneau *m* stove, grill
fournir to furnish, to supply
foyer *m* fireplace
fraîche *see* **frais**
frais, fraîche cool; cold; fresh
frais *m* coolness; **au frais** where it is cool
fraise *f* strawberry

franc *m* franc
français *m* French; **Français** *m* Frenchman; **français(e)** *adj* French
France *f* France
France-Soir a Paris daily
franchement frankly
frappe *pr ind 3rd sg of* **frapper**
frapper to knock; to strike
frémir to tremble
fréquemment frequently
fréquent(e) frequent
fréquenté(e) patronized, visited
frère *m* brother
froid *m* cold; **avoir froid** to be cold; **il fait froid** it is cold (weather)
frontière *f* frontier
fruit *m* fruit

g

gagnant(e) winning
gagnant *m* winner
gagner to earn; to win
galerie *f* gallery; corridor
gallo-romain Gallo-Roman
galon *m* stripe
garantir to guarantee
garçon *m* boy; waiter
garde *m* guard
garder to keep
gare *f* railroad station
gaspillage *m* waste
gastronomique gastronomic, of or pertaining to eating
gâteau *m* cake
gauche left
Gaule *f* Gaul
gaulois(e) Gallic
gelée *f* jelly, gelatine; **gelée sucrée** sweetened gelatine
gênant(e) bothersome
gêner to bother
général(e) general
généralement generally
génération *f* generation
génie *m* genius
genre *m* kind
gens *m or f pl* people; **jeunes gens** young men, young people; **les petites gens** the lower classes
gentil, gentille nice, kind
gentiment kindly
géographe *m* geographer
géographie *f* geography
géométrie *f* geometry
germanique Germanic
geste *m* gesture
glace *f* ice
glisser to slip *(intrans)*; **faire glisser** to slip *(trans)*
gloire *f* glory
glorifier to glorify
golf *m* golf
gothique Gothic, style of architecture created in France in the 12th century
gouffre *m* cave, chasm
goût *m* taste
gouvernement *m* government
grâce à thanks to; **faire grâce de** to spare
gracieux(se) elegant, graceful
graduellement gradually
gramme *f* gram
grand(e) tall; great; **la Grande Charte,** Magna Carta; **pas grand'chose** nothing much; **les grands et les petits** the great and small
grandir to grow
grand-mère *f* grandmother
grange *f* barn
gratte-ciel *m* skyscraper
gratuit(e) free
grave serious
gravité *f* gravity, seriousness
gré: bon gré mal gré like it or not
grec *m* Greek
Grèce *f* Greece
grenouille *f* frog
grille *f* fence
griller to cook on a grill
grimper to climb
grimpeur *m* climber
gris(e) gray
gros, grosse big, large; **en gros** wholesale
grotte *f* grotto
groupe *m* group; **en groupe** in a group

grouper to group, to bring together
guère: ne . . . guère scarcely, hardly
guéri *p part of* **guérir**
guérir to cure
guerre *f* war
guichet *m* ticket window
guide *m* guide
guider to guide
guillotine *f* guillotine

h

habile skilful
habilement skilfully
habileté *f* skill
habillé(e) dressed
habit *m* dress, costume; **habits** *m pl* clothes
habitant *m* inhabitant
habitation *f* home, habitation
habite *pr ind 3rd sg of* **habiter**
habité inhabited
habiter to live, to dwell
habitude *f* habit, practice; **habitudes gastronomiques** eating habits; **d'habitude** usually
habitué(s) (à) accustomed (to)
habituel(le) customary
habituer: s'habituer à to get used to
***Halles, les** *f pl* Central Market
***handicap** *m* handicap
harmonie *f* harmony; harmoniousness
harmoniser: s'harmoniser to harmonize
***hasard** *m* chance; **par hasard** by chance
***haut(e)** high; **haut-parleur** loudspeaker
***hauteur** *f* height
hélas alas
Henry IV popular King of France (1589-1610)
***hérissé(e) de** bristling with
héroïque heroic
***héron** *m* heron
***héros** *m* hero
hésitent *pr ind 3rd pl of* **hésiter**
hésiter to hesitate
heure *f* hour; **à cinq heures et demie** at five-thirty; **de bonne heure** early; **de très bonne heure** very early; **à l'heure** per hour; on time; **à l'heure actuelle** now, at present; **juste à l'heure** right on time; **tout à l'heure** in a short while, a short while ago
heureusement fortunately
heureux(se) happy, fortunate
histoire *f* history; story
historique historical
hiver *m* winter; **en hiver** in winter
***hollandais(e)** Dutch
***Hollande, la** *f* Holland
***homard** *m* lobster
homme *m* man; **jeune homme** young man; **homme d'État** statesman
homogène homogeneous, of one kind
honneur *m* honor
honorable respectable
honorer to honor
honorifique honorary
***honte: avoir honte (de)** to be ashamed (of)
horreur *f* horror
horrible horrible
horriblement terribly
***hors** out of, outside
***hors-d'œuvre** *m pl* appetizers
hospitalier hospitable
hospitalité *f* hospitality
hostilité *f* hostility
hôte *m* host; guest
hôtel *m* hotel
***hotte** *f* basket carried on the back
***houx** *m* holly
***huit** eight
huître *f* oyster
humain(e) human
humaniste *adj* humanistic, cultural
humanités *f pl* the humanities
humeur *f* humor
humide damp, humid
humidité *f* humidity
humour *m* wit
***hutte** *f* hut

i

ici here
idéal(e) ideal
idée *f* idea
identifier to identify
ignorance *f* ignorance
il he, it
île *f* island; **Île de la Cité** island in the Seine in the center of Paris
illuminé(e) lighted
illuminer to light up
illusion *f* illusion
illustre famous
ils they
imaginaire imaginary
imagination *f* imagination
imaginer to imagine; to fancy, to picture
immédiat immediate, near
immédiatement immediately
immense vast
immensité *f* vastness
immeuble *m* building, real estate
impartial(e) impartial
impartialité *f* impartiality
impatience *f* impatience
impatient(e) impatient
impérissable imperishable
imperméable *m* raincoat
importance *f* size, importance
important(e) important, large
importation *f* import
importer to import
imposant(e) imposing
imposer: s'imposer to be established, to take over
impossible impossible
impôt *m* tax
impression *f* impression
impressionné *p part of* **impressionner**
impressionner to impress
impressionnisme *m* impressionism
inattendu(e) unexpected, strange
inaugurer to inaugurate, to unveil, to set up
incapable unable
incertitude *f* uncertainty
incident *m* incident, event
incommode inconvenient
inconcevable inconceivable
inconnu(e) unknown
inconvénient *m* disadvantage
incroyablement incredibly
incrusté incrusted
indéfiniment indefinitely
indépendance *f* independence
indication *f* sign; notice
indifférence *f* indifference
indignation *f* indignation
indigne unworthy
indiquer to indicate
indirect indirect
indiscret indiscreet; impolite
indispensable indispensable
indistinct(e) indistinct
individu *m* individual
individualisme *m* individualism
individualiste *m or f* individualist
individualité *f* individuality
industrialiser to industrialize
industrie *f* industry
industriel(le) industrial
inégalité *f* inequality
inerte inert, inactive, sluggish
inférieur(e) inferior
infiltrer: s'infiltrer to trickle
infime very small
infiniment infinitely
inflation *f* inflation
information *f* information
ingénieur *m* engineer
ingénieux ingenious, clever
inhabité uninhabited
initiative *f* original idea
injuste unfair
innocemment innocently
innovation *f* innovation
inoffensif(ve) harmless
inondation *f* flood, inundation
inondé flooded
inquiétude *f* worry, anxiety
insalubrité *f* impurity, unwholesomeness
inséparable de tied up with
inspiration *f* inspiration
instabilité *f* instability
installer: s'installer to sit down, to get settled

instant *m* instant. moment
Institut d'Études Politiques Graduate school of Political Science
instituteur *m* teacher (elem. school)
instructif(ve) instructive
instruction *f* instruction, education
instruire to teach, to instruct
instrument *m* instrument; contraption
intelligent(e) intelligent
intempéré(e) not temperate; intemperate
intention *f* intention; **avoir l'intention** to intend
interdire to forbid; **il est interdit** it is forbidden
interdit *p part of* **interdire**
intéressant(e) interesting
intéresser to interest, to concern; **s'intéresser** to be interested
intérêt *m* interest; **divergence d'intérêts** conflict of interests
intérieur *m* interior; **à l'intérieur** inside
interminable endless, interminable
international(e) international
internationalisé internationalized
interpeller: s'interpeller to shout at each other
interrogation *f* question
interrompent *pr ind 3rd pl of* **interrompre**
interrompre to interrupt
intervalle *m* interval
intriguer to puzzle, to intrigue
introduire to bring in
introuvable impossible to find
inusité(e) unusual
inutile useless
inventer to invent
invitation *f* invitation
invité *m* a guest
inviter to invite
ira *fut 3rd sg of* **aller**
ironiquement ironically, jokingly
ironiste *m* an ironical person
irons: nous irons *fut 1st pl of* **aller**
irrévocable irrevocable, unchangeable
isoler to isolate; **s'isoler** to isolate oneself
Italie *f* Italy
Italien(ne) Italian; **italien(ne)** *adj* Italian

j

jamais ever; **ne . . . jamais** never
jambon *m* ham
janvier January
jardin *m* garden; **jardin potager** vegetable garden; **le Jardin du Luxembourg** the Luxemburg Gardens
jardinier *m* gardener
jaune yellow
jeter to throw; **jeter un coup d'œil** to glance, to take a look
jeu *m* play; **en jeu** at stake; **le jeu de la libre concurrence** functioning of free competition
jeune young; **jeune fille** girl; **jeunes gens** young men, young people
jeunesse *f* youth
joie *f* joy, pleasure
joindre to join; **joindre les deux bouts** make both ends meet
joli(e) pretty
jouent *pr ind 3rd pl of* **jouer**
jouer to play
jouet *m* toy
jouir to enjoy
jour *m* day; **un jour** some day; **le jour** in the daytime; **un de ces jours** one of these days; **tous les jours** every day; **de nos jours** in our time; **ces jours-ci** these days
journal(aux) *m* newspaper
journée *f* day, the entire day; day's work
jovial(e) jolly
juge *m* judge
jugement *m* judgment; **Jugement dernier** Last Judgment
juger to judge, to consider
juillet July
juin June

jusqu'à as far as; until; **jusque là** until then
juste just; **juste à l'heure** right on time; **au juste** exactly
justifier to justify

k

kaki *m* khaki
kilo *m* kilogram (2.2 pounds)
kilomètre *m* kilometer (5/8 of a mile)
klaxon *m* horn

l

l' *see* **le**
la *see* **le**
là there; **c'était là** that was; **là-bas** over there; **jusque là** until then
-là *see* **ce, cet, cette . . . là**
labyrinthe *m* maze
lacet: route en lacet hairpin curves
laisser to let, to leave; to allow; **je vais vous les laisser à soixante centimes** I will let you have them for sixty centimes
laitue *f* lettuce; **quartier de laitue** quarter of a head of lettuce
lancement *m* launching; orbiting
lancer to throw
langage *m* speech
langue *f* language, tongue
lanterne *f* lantern
lapin *m* rabbit
large wide, broad
latin *m* Latin
le, la, les, l' the; *pron* he, her, it, them
lecteur *m* reader
légende *f* legend; inscription
léger, légère light
légèrement slightly; lightly
légume *m* vegetable
lendemain: le lendemain the next day; **du jour au lendemain** overnight
lent(e) slowly
lentement slowly
lequel, laquelle, lesquels, lesquelles *rel pron* which
lettre *f* letter; **gens de lettres** writers
leur(s) *poss adj* their; **leur** *pron* to them, for them
lever to raise
levier *m* lever
libérer to liberate, to set free
liberté *f* freedom; **liberté d'esprit** freedom of the mind; independence
libraire *m* book dealer
libre free; **l'école libre** schools not run by the government
lieu(x) *m* place; **au lieu de** instead of; **avoir lieu** to take place; **lieu de rendez-vous** meeting place; **nom de lieu** place name; **il y a lieu** there is reason, there are grounds
lieue *f* league
lieutenant *m* lieutenant
ligne *f* line
lilas *m* lilac
limiter to limit
limousine *f* limousine
lire to read
lisent *pr ind 3rd pl of* **lire**
lisez: vous lisez *pr ind 2nd pl of* **lire**
lisiez: vous lisiez *imperf ind 2nd pl of* **lire**
liste *f* list
lit *m* bed
litre *m* liter (slightly more than an American quart)
littéralement literally
littérateur *m* writer
littérature *f* literature
livre *m* book; **livres d'occasion** second-hand books; **livre de cuisine** cookbook
livrer to deliver
local(e) local
locomotive *f* locomotive
logement *m* housing
loger to house, to put up
logique logical

loin far; **loin de là** far from it; **loin d'être extrémiste** far from being radical; **au loin** in the distance
lointain(e) far-off, distant; **dans le lointain** in the distance
long(**ue**) long; **le long de** along; **sept kilomètres de long** 7 kilometres long
longtemps a long time, long; **depuis longtemps** for a long time
longuement at length
lorsque when
Louis XV King of France (1715-1774)
lourd(e) heavy
lourdement heavily
lu *p part of* **lire**
lueur *f* dim light
lucarne *f* dormer window
lui him, to him, her, to her
lui-même himself, itself
lumière *f* light
lumineux light
lune *f* moon
luxe *m* luxury
Luxembourg *m* Luxemburg
lycée lyceum (combination of high school and junior college)
lyre *f* lyre

m

M. *abbr for* **Monsieur** Mr.
machine *f* machine, car
magasin *m* store
magie *f* magic
magnétophone *m* tape recorder
magnifique magnificent
magnifiquement magnificently
mai May
maillot *m* jersey
main *f* hand; **main-d'œuvre** *f* labor, labor supply
maintenant now
maintenir to maintain, to keep
maintiennent: ils maintiennent *pr ind 3rd pl of* **maintenir**
mais but; **mais oui** oh! yes
maison *f* house; firm
maître *m* master, teacher
majorité *f* majority
mal *m* evil; **avoir du mal** have difficulty; *adv* **mal** badly; **pas mal** a good many; not bad
malade sick
maladie *f* disease, sickness
malgré in spite of
malheur *m* misfortune; **le malheur est** the sad part is
malheureusement unfortunately
malheureux(**euse**) unhappy, unsuccessful
malicieusement maliciously; knowingly
malin shrewd, cunning, sly
Manche *f* the English Channel
mangeable edible
manger to eat
manière *f* manner
manifestation *f* demonstration
manifestement clearly, evidently
manifester to show; to demonstrate
manœuvrable manœuverable
manque *m* lack
manquer to miss, to fail; to lack
manuel *m* manual
manuscrit *m* manuscript
marais *m* swamp; **Le Marais** section of Paris
marchand(e) merchant, dealer
marchander to bargain
marche *pr ind 3rd sg of* **marcher**
marché *m* market; **marché aux fleurs** flower market; **à bon marché** cheap; **le bon marché** cheapness, low cost; **Marché Commun** Common Market
marcher to walk; to succeed
mare *f* pool
maréchal *m* marshal
mari *m* husband
marié(e) *p part of* **marier** married
marque *f* make
marqué *p part of* **marquer**
marquer to mark
marquis *m* marquis
marron *m* chestnut
mars March
martyr *m* martyr
masse *f* crowd
massif *m* massif, mountain mass; clump of shrubbery or flowers;

Massif Central the massif which is in the center of France
massif(ve) massive
match *m* game; match
matérialisme *m* materialism
matérialiste *adj* materialistic
matériel *m* equipment, matériel
mathématiques *f pl* mathematics
matière *f* (school) subject; **matière première** raw material
matin *m* morning; **une heure du matin** 1:00 A.M.; **le matin** in the morning; **tous les matins** every morning
matinée *f* morning
mauvais(e) bad
mayonnaise: sauce mayonnaise mayonnaise dressing
me me, to me
méchant(e) wicked
mécontent(e) displeased, discontent
médecin *m* doctor
médecine *f* medicine
Méditerranée *f* Mediterranean
meilleur(e) better; **le meilleur, la meilleure** the best
membre *m* member
même even; **le même, la même, les mêmes** the same; *adj* same (if preceding noun), very, self (if following noun); **tout de même** nevertheless; **au cœur même de la ville** in the very heart of the city
mémoire *f* memory
ménagère *f* housewife
mener to lead
menu *m* menu
mer *f* sea; **la Mer du Nord** the North Sea
merci thank you
mère *f* mother
mérite *pr ind 3rd sg of* **mériter**
mériter to deserve
merveille *f* marvel
merveilleux(se) marvelous
messe *f* mass
messieurs (*pl of* **monsieur**) gentlemen
mesure *f* measure; bill; **à mesure que** as; **dans la mesure que** to the extent that; **dans une certaine mesure** to a certain extent
met: il met *pr ind 3rd sg of* **mettre**
méthode *f* method
métier *m* trade, occupation
mètre *m* meter (39.36 inches)
métrique metric
métro (*abbr of* **métropolitain**) *m* Paris subway
mettre to put, to put on; **se mettre d'accord** to get together
meuble *m* a piece of furniture
Midi *m* the South
mieux better; **rien de mieux** nothing better; **le mieux** the best
milieu *m* milieu; surroundings; group; middle; **au milieu de** amidst
mille thousand
millier *m* (about a) thousand
million *m* million
millionnaire *m* millionaire
mimosa *m* mimosa
mine *f* mine
minéral(e) mineral
ministère *f* ministry, cabinet
ministériel(le) ministerial; of or pertaining to a cabinet
ministre *m* member of cabinet
minorité *f* minority
minuit *m* midnight
minute *f* minute
mis *p part of* **mettre; bien mis** well dressed
misérable poor, shabby
Mme (*abbr of* **Madame**) *f* Mrs.
mode *f* style; **à la mode** in style
modération *f* moderation
moderne modern, up-to-date
moderniser to modernize
modestement modestly
modique modest, trifling
moindre less; **le moindre** the least
moine *m* monk
moins less; **à midi moins dix** at ten minutes to twelve; **au moins, du moins** at least; **ni plus ni moins** neither more nor less; **plus ou moins** more or less; **le moins** the least; **le moins du monde** the least bit
mois *m* month

moitié *f* half
moment *m* moment; **en ce moment** right now
monarchie *f* monarchy
monde *m* world; people; **beaucoup de monde** many people; **tout le monde** everyone; **un monde nouveau** a new world; **le Nouveau Monde** the New World
monologue *m* monologue
monotonie *f* monotony
monsieur sir; Mr.; **messieurs** gentlemen
monstre *m* monster; *adj* monstrous
montagne *f* mountain
montagneux(se) mountainous
montant(e) steep
monte *pr ind 3rd sg of* **monter**
montée *f* climb
monter to mount, to go up, to climb; *trans* to take up; **monter dans** to get in
Montmartre center of Paris night life
montre *f* watch
montrer to show
monument *m* monument
moquer: se moquer de to make fun of
morceau *m* piece
mort *f* death; *m* dead person
mort *p part of* **mourir**
mot *m* word
moteur *m* motor
motocyclette *f* motorcycle
motorisé motorized
mouiller: se mouiller les pieds to get one's feet wet
moulin *m* mill; **moulin à vent** windmill
mourir to die
mousse *f* moss; frozen dessert; **mousse aux fruits** a fruit mousse
moustache *f* mustache
mouton *m* sheep
mouvement *m* movement
moyen *m* means; **par ses propres moyens** under its own power
moyen(ne) medium; **moyen âge** Middle Ages
moyennant by paying
moyenne *f* average
muguet *m* lily of the valley
multiple multiple
multiplier: se multiplier to multiply
municipal of a city
mur *m* wall; **aux murs gris** with gray walls
mûr(e) ripe
muraille *f* wall
muscle *m* muscle
musée *m* museum
musicien *m* musician
musique *f* music
mutiler to mutilate
mystère *m* mystery

n

n' *see* **ne**
nager to swim
naissance *f* birth
naître to be born; **qui vient de naître** who has just been born
narrateur *m* narrator
natal(e) native
nation *f* nation
national(e) national
nationalité *f* nationality
Nativité *f* Nativity
nature *f* nature; **de nature à** likely to
naturel(le) natural
naturellement natural, of course
ne: ne . . . pas not; **ne . . . guère** scarcely, hardly; **ne . . . jamais** never; **ne . . . plus** no longer, no more; **ne . . . que** only; **ne . . . ni . . . ni** neither . . . nor
néanmoins nevertheless
nécessaire necessary
nécessairement necessarily
nécessité *f* necessity
nécessiter to make necessary, to call for
nef *f* nave (of a church)
négligeable negligible
négliger to neglect
neige *f* snow
neiger to snow
neuf, neuve new

ni neither, nor; **ne . . . ni . . . ni** neither . . . nor
niveau *m* level
noble noble
noblement nobly
Noël *m* Christmas
noir(e) black
noix *f* walnut
nom *m* name; **au nom sinistre** with the sinister name
nombre *m* number
nombreux(euse) numerous
nommer to name
nord *m* North
Normandie *f* Normandy
nostalgie *f* homesickness; nostalgia
notamment notably, especially
note *f* grade
noter to grade, to note
notre *adj* our
nôtre: le nôtre, la nôtre, les nôtres *pron* ours
nourrir to feed
nous we; us; ourselves
nouveau, nouvelle new; **le Nouveau Monde** the New World; **tout nouveau** right new; **de nouveau** again
nouvelle *f* (piece of) news
Nouvelle-Orléans, La New Orleans
novembre November
nu(e) naked
nuance *f* nuance, tint
nuée *f* cloud
nuit *f* night; darkness; **toute la nuit** all night; **la nuit** by night
numéro *m* number (in a series)

O

obélisque *m* obelisk
objet *m* object, thing
obliger to oblige; **vous serez obligé** you will have to
obscurité *f* darkness
observateur *m* observer
observation *f* observation
observe *pr ind 3rd sg of* **observer**
observer to notice, to observe
occasion *f* opportunity; **avoir l'occasion** have occasion to; **livre d'occasion** secondhand book; **une occasion** a bargain; **à l'occasion de** on the occasion of
occidental(e) Occidental, Western
occupation *f* occupation
occupé(e) occupied, busy
occuper to occupy; **s'occuper de** to take care of
Océanie *f* South Sea Islands (including Australia)
odeur *f* odor
œil *m* eye; **yeux** eyes; **leur mettait sous les yeux** put before their eyes; **un coup d'œil** a glance
œillet *m* pink, carnation
œuf *m* egg
œuvre *f* work; **main-d'œuvre** *f* labor, labor supply
offert *p part of* **offrir**
offre: il offre *pr ind 3rd sg of* **offrir**
offrir to offer; to provide; to present
oie *f* goose
oignon *m* onion
oiseau *m* bird
omelette *f* omelet; **omelette aux champignons** mushroom omelet
on, l'on one, someone, they, people
oncle *m* uncle; **chez son oncle** in his uncle's office
ont *pr ind 3rd pl of* **avoir**
opération *f* operation
opérer to operate
opinion *f* opinion
optimiste optimist
option *f* option
or now; but
oral, oraux oral
orage *m* storm
orange *f* orange
ordinaire ordinary; **d'ordinaire** usually
ordonné(e) orderly
ordonner to command
ordre *m* order; **d'ordre économique** of an economic nature
organisation *f* organization
organiser to organize; to set up
orienter to direct, to orientate
original(e) original
originalité *f* originality

origine *f* origin
orné *p part of* **orner**
ornement *m* ornament, adornment
orner to adorn
os *m* bone
oser to dare
ou or
où where, when, in which; **d'où** whence
oublier to forget
ouest *m* West
oui yes; **mais oui** oh! yes
outre: en outre besides, moreover
ouvert(e) open
ouvrant: en ouvrant in opening
ouvre *pr ind 3rd sg of* **ouvrir**
ouvrier *m* laborer
ouvrir to open *(trans)*; **s'ouvrir** to open *(intrans)*

p

page *f* page
paille *f* straw
pain *m* bread; loaf of bread
paisiblement peacefully
palais *m* palace
panier *m* basket
panorama *m* panorama
papier *m* paper
par by; **par ici** this way
paraît: il paraît *pr ind 3rd sg of* **paraître**
paraîtrait *condl 3rd sg of* **paraître**
paraître to appear, to seem; **vient de paraître** just out
parallèlement parallel to, along with
parapluie *m* umbrella
parc *m* park
parce que because
parcours *m* route
parent *m* parent, relative
parfait(e) perfect; right
parfaitement perfectly
parfois sometimes
parier to bet
Paris-Presse a Paris daily
Parisien(ne) Parisian
parking *m* parking lot
parle *pr ind 3rd sg of* **parler**
parlent *pr ind 3rd pl of* **parler**
parler to speak
parmi among
parole *f* word (spoken)
part *f* part, share; **prendre part** to take part, to participate; **quelque part** somewhere; **d'autre part** on the other hand
part: il part *pr ind 3rd sg of* **partir**
partager to share
partant *pr part of* **partir; en partant** on leaving
parti *m* party (political); **tirer parti de** to make use of, to turn to advantage
participant *m* participant
participer to take part
particulier(ière) particular
particulièrement particularly, especially
partie *f* part; **en partie** in part; **faire partie de** to be a part of
partir to leave, to start, to set out; **à partir de . . .** beginning with . . .
partout everywhere, on all sides
pas *m* step
pas: ne . . . pas not; **pas exactement** not exactly
passage: de passage à passing through, temporarily in
passager(ère) transitory, temporary
passé *m* past
passé *p part of* **passer**
passer to pass; to pass by; to spend (time); to take (an examination); **se passer** to take place, to happen
passionnant(e) thrilling, exciting
Pasteur famous French scientist (1822-1895)
patiemment patiently
patience *f* patience
pâtisserie *f* pastry; pastry shop
pâtissier *m* pastry-cook
patte *f* leg (of animal); paw
pauvre poor; **pauvre diable** poor fellow
payer to pay, to pay for
pays *m* country; **pays étranger** foreign country; **avoir le mal du**

pays to be homesick; **Les Pays-Bas** Netherlands
paysan *m* peasant
Peau-Rouge *m* redskin; American Indian
pêche *f* fishing; **pêche à la ligne** angling
pêcher to fish
pêcheur *m* fisherman; **pêcheur à la ligne** angler
pédagogique pedagogical
pédaler to pedal, to ride a bicycle
peindre to paint
peine *f* difficulty; **à peine** scarcely
peint(e) *p part of* **peindre**
peintre *m* painter
peinture *f* painting
pelouse *f* lawn
pendant during; for; **pendant quelques semaines** for a few weeks
pénétration *f* penetration
pénétrer to enter
pénible difficult, painful
pense *pr ind 3rd sg of* **penser**
penser to think; **penser à** to think of
perdre to lose; **perdre son temps** to waste time; **se perdre** to be lost
périphérie *f* periphery
perdu *p part of* **perdre** isolated
père *m* father
périssable perishable
permettez *imper of* **permettre**
permettre to permit, to allow; **se permettre** to take the liberty of
permis *p part of* **permettre**
permission *f* permission; leave; **permission de minuit** pass until midnight
perpétuel(elle) permanent; constant
perplexité *f* state of perplexity, of uncertainty
persistant(e) persistent
personnage *m* person (of importance)
personne *f* person; **en personne** in person
personnel(le) personal
personnellement personally
perspective *f* view
persuadé convinced
perte *f* loss; **à perte de vue** as far as you can see
pertinent(e) relevant, to the point
peser to weigh
pessimiste pessimist
petit(e) small; **petit-fils** *m* grandson
pétrole *m* oil
peu *m* little; **un peu, quelque peu** a little; somewhat; **peu à peu** little by little; **à peu près** about, approximately
peuple *m* people; common people
peur *f* fear; **de peur de** for fear of; **avoir peur** to be afraid; **de peur que** for fear that; **faire peur** to scare, to frighten
peut: il peut *pr ind 3rd sg of* **pouvoir**
peut-être perhaps
peuvent: ils peuvent *pr ind 3rd pl of* **pouvoir**
peux: je peux *pr ind 1st sg of* **pouvoir**
phare *m* lighthouse, beacon; headlight
phénomène *m* phenomenon
philosophe *m* philosopher
photographie, photo *f* photograph
physiothérapique physiotherapy
physique physical
piano *m* piano
pièce *f* play; room
pied *m* foot
pierre *f* stone
piéton *m* pedestrian
pilier *m* pillar
pire worse
pis: tant pis too bad
piscine *f* swimming pool
piste *f* path
pittoresque picturesque
place *f* square; **la Place de l'Opéra** Opera Square
place *pr ind 3rd sg of* **placer**
placer to place, to put
plage *f* beach
plaider to plead
plaindre: se plaindre to complain
plaine *f* plain
plainte *f* complaint
plaire to please; **s'il vous plaît**

please, if you please; **se plaire à** to be pleased in (or at)
plaisant(e) amusing; **un mauvais plaisant** a joker
plaisent: se plaisent *pr ind 3rd pl of* **se plaire**
plaisir *m* pleasure; **cela me fait plaisir** it pleases me
plaît *pr ind 3rd sg of* **plaire**
plan *m* map; plan; **sur le plan national** on a national scale; **plan d'aménagement** city planning
planté *p part of* **planter**
planter to plant; **planté de** planted with
plaque *f* plaque
plat *m* dish; **un plat chauffé** a heated dish
plateau *m* plateau
plein(e) full; **en plein air** in the open
pleut: il pleut *pr ind 3rd sg of* **pleuvoir**
pleuvoir to rain
pliant(e) folding; **une chaise pliante** a folding chair
plomb *m* lead
pluie *f* rain
plupart *f* most; majority; **la plupart des gens** most people
plus more; **plus ou moins** more or less; **plus de** more than; **plus que** more than (with verb); **de plus en plus** more and more; **ni plus ni moins** neither more nor less; **ne . . . plus** no more, no longer; **le**(**la, les**) **plus** the most; **le plus sûr** the surest; **non plus** not . . . either
plusieurs several
plutôt rather
poche *f* pocket
poêle *f* frying pan
poème *m* poem
point *m* point, place; **point de vue** point of view; **sur le point de** on the point of; **en tout point** entirely; **à point** cooked just enough
poisson *m* fish
poitrine *f* chest
poivrer to pepper
policier of the police; **roman policier** detective story
poliment politely
politesse *f* civility
politique *f* politics; *adj* political
pomme *f* apple; **pomme de terre** potato
pont *m* bridge; **Le Pont-Neuf** New Bridge, the oldest bridge in Paris
populaire popular; **Paris populaire** Paris of the people
popularité *f* popularity
population *f* population
porc *m* pork, pig
portail *m* portal, large door
porte *f* gate, door; **porte cochère** carriage entrance
porte *pr ind 3rd sg of* **porter**
porte-bonheur *m* bringer of good-luck
portée *f* reach; **hors de portée** out of reach
portefeuille *m* wallet
porter to wear; to carry; **elle porte bien son âge** it carries its age well, grows old gracefully; **porter sur** to concern
porteur *m* porter, bearer
portrait *m* portrait
pose *pr ind 3rd sg of* **poser**
poser to place; to put; to ask (a question); **poser un problème** to raise a problem
posséder to possess
possible possible; **tout leur possible** all they can
poste *m* station; **poste émetteur** sending station (radio)
potager: jardin potager vegetable garden
poulie *f* block and pulley
poupée *f* doll
pour in order to (with infinitive); *prep* for; **pour qui** for whom; **gentil pour moi** nice to me; **le pour et le contre** the pros and cons
pourquoi why
pourrait: il pourrait *condl 3rd sg of* **pouvoir**
poursuite *f* pursuit
poursuivre to pursue

pourtant however, for all that
pousse *pr ind 3rd sg of* **pousser**
pousser to push
poussière *f* dust
pouvez: vous pouvez *pr ind 2nd pl of* **pouvoir**
pouvoir to be able, can, could, may, might; **il pourrait bien** he might well; *m* power
pouvons: nous pouvons *pr ind 1st pl of* **pouvoir**
pratique *adj* practical; *f* practice
pratiquer to practice
pré *m* meadow
préalablement previously
précaution *f* precaution
précédé preceded
précédent(e) preceding
précis(e) precise, exact
précisément precisely
prédicateur *m* preacher
prédire to predict
préétabli pre-established
préférer to prefer
préfet *m* prefect
préhistorique prehistoric
premier(ière) first; **en première classe** in first class
prend *pr ind 3rd sg of* **prendre**
prendre to take; to pick up; **prendre la fuite** to take flight; **prendre quelque chose** to have something to drink (or eat); **s'y prendre** to go about it
prennent: ils prennent *pr ind 3rd pl of* **prendre**
préoccupation *f* concern
préoccupé(e) worried
préparation *f* preparation
préparer to prepare; **se préparer** to get ready
près (de) near; **tout près** very near; **à peu près** approximately; **de près** closely
présence *f* presence
présent(e) present
présentation *f* introduction
présenter to introduce, to present
présidence *f* presidency
président *m* president
presque almost
pressé in a hurry
presser: se presser to hurry; to mill around
prestidigitateur *m* magician
prétendre to claim, to maintain
prétexte *m* pretext
prêtre *m* priest
preuve *f* proof
prier to pray; to ask
primaire primary, elementary
primitif(ve) old, original, primitive
primordial(e) primordial
prince *m* prince
principal(e) principal
principe *m* principle; **principes de structure** structural principles
pris *p part of* **prendre**
printemps *m* spring
prisonnier(ière) prisoner
privé private
privilège *m* privilege
prix *m* price
problème *m* problem
procédé *m* process, method
procéder to proceed
prochain(e) next, near at hand
proche near; **Proche-Orient** *m* Near East
procurer: se procurer to get, to procure
prodigieux(euse) prodigious, very unusual
prodigue prodigal
production *f* production
produire to produce
produit *m* product
professeur *m* professor
profession *f* profession
professionnel(le) professional
profit *m* profit
profiter de to take advantage of
profond deep; profound; fundamental
programme *m* program; course
progrès *m* progress
projecteur *m* projector, spotlight
projectile *m* projectile
projet *m* plan; project
prolongement *m* continuation
prolonger: se prolonger to extend

promènent: se **promènent** *pr ind 3rd pl of* **se promener**
promener: se **promener** to take a walk; se **promener en auto** to ride in a car
promettant promising
promettre to promise
proportion *f* proportion
proportionné proportionate
propos: à **propos** by the way; apropos
propose *pr ind 3rd sg of* **proposer**
proposé(e) proposed
proposer to propose, to suggest
propre own; clean; **sa propre perfection** his own perfection
prospère prosperous
prospérité *f* prosperity
protéger to protect
protestation *f* protest
protester to protest
prouver to prove
proverbe *m* proverb
province *f* province; **en province** out of town, in the country
provision *f* supply
provoquer to provoke, to cause
proximité *f* proximity
prudent(e) prudent, sensible
psychologie *f* psychology
psychologique psychological
psychologue *m* psychologist
P. T. T., Postes, Télégraphes et Téléphones, combination of the postal service with that of telegraph and telephone
public *m* public; *adj* **public, publique** public
publicité *f* publicity, advertising
publique public
puis then, afterwards
puisque since
puissance *f* power
puissant(e) powerful
puits *m* well
puisque since
punir to punish
pur(e) pure
purement purely
Pyrénées *f pl* Pyrenees

q

quai *m* platform
qualité *f* quality; **en qualité de** as
quand when
quantité *f* quantity
quarante-huitième forty-eighth
quarante-septième forty-seventh
quarante-sixième forty-sixth
quart *m* quarter; **trois quarts d'heure** three-quarters of an hour
quartier *m* quarter; **Le Quartier Latin** the Latin Quarter; **un quartier de laitue** a quarter of a head of lettuce
quatorze fourteen
quatre four
quatrième fourth; **quatrième étage** fifth floor (The ground floor is not counted as an *étage*.)
que *conj* that; *rel pron* whom, which; **que?** what; **qu'est-ce que?** what
quel(le) *interrog adj* what
quelque, quelques some, a few; **quelque chose** something
quelquefois sometimes
quelques-uns, quelques-unes some, a few
querelle *f* quarrel
question *f* question
qui who; **qui?** who? whom?
quinze fifteen
quittent *pr ind 3rd pl of* **quitter**
quitter to leave; **se quitter** to separate, to leave each other
quoi? what? **à quoi bon?** what is the use? **en quoi?** of what?
quotidien(enne) daily

r

raconter to relate, to tell
raide steep
raison *f* reason; **en raison de** because of
raisonnable reasonable, fair
ramoneur *m* chimney-sweep
rang *m* row; **au premier rang** in the front row

ranger to put away
rapide rapid, fast
rapidement fast, rapidly
rappeler to recall; **se rappeler** to remember, to recall
rapporter to bring back
rapprocher: se rapprocher to approach
rare unusual, rare
rarement rarely
rassuré *p part of* **rassurer**
rassurer to reassure
rattacher: se rattacher to go back to
rayon *m* department (in a store)
réaliser to carry out
réalisme *m* realism
réalité: en réalité in reality
récemment recently
récent(e) recent, new
recette *f* receipt
recevoir to receive
recherche *f* seeking after
rechercher to look for, to go in for
récit *m* narration, narrative
réclame *f* advertising; **faire de la réclame** to advertise
réclamer to demand
reçoit: il reçoit *pr ind 3rd sg of* **recevoir**
recommendation *f* recommendation
recommander to advise
recommence *pr ind 3rd sg of* **recommencer**
recommencer to begin again
reconnaît *pr ind 3rd sg of* **reconnaître**
reconnaître to recognize
recours *m* recourse
recouvert(e) covered
reçu *p part of* **recevoir; être reçu à un examen** to pass an examination
reculer to back up
réel, réelle real, actual
refaire to make over, to remake
refaites *p part f pl of* **refaire**
refléter: se refléter to be reflected
réforme *f* reform, reorganization
réfrigérateur *m* refrigerator
refuge *m* refuge
refuser to refuse, to reject
regardant *pr part of* **regarder**
regarde *pr ind 3rd sg of* **regarder**
regarder to look at
regardez *imper of* **regarder**
régate *f* regatta
régime *m* regime, government
région *f* region
règle *f* rule
regrettable regrettable
regretter to regret
régulier(ière) regular
réjouissance *f* rejoicing
relatif(ve) à having to do with
relation *f* relation
relativement relatively
relique *f* relic, remnant
remarquable remarkable
remarque *pr ind 3rd sg of* **remarquer**
remarquer to notice
remède *m* remedy
remédier to remedy
remercie *pr ind 3rd sg of* **remercier**
remercier to thank
remettre to put back
remonter to go up again; to go up
remplacer to replace
remplir to fill
Renaissance *f* Renaissance
Renault popular French make of autos
rencontre *f* meeting of two persons; **vient à leur rencontre** comes to meet them
rencontrer to meet *(trans)*; **se rencontrer** to meet *(intrans)*
rendre to render; to make; **les honneurs qui leur sont rendus** the honors which are given them; **se rendre à** to go to; **se rendre compte** to realize
renne *m* reindeer
renoncer à to give up
renseignement *m* information
rentrée *f* return; **rentrée des classes** reopening of school (after a vacation)
rentrer to go back home, to go back in
réorganisation *f* reorganization
répandre: se répandre to spread

répandu(e) widepsread
réparer to repair
repas *m* meal
replier to fold over
répond *pr ind 3rd sg of* **répondre**
répondre to answer, to reply
répondu *p part of* **répondre**
réponse *f* answer, reply
repos *m* rest
reposer: se reposer to rest
représentation *f* performance; showing; representation
représenter to represent
reprocher to reproach; **de vous le reprocher** to reproach you for it
reproduire to reproduce
république *f* republic
réputation *f* reputation
requis required
réserver to reserve
résidence *f* residence
résonner to resound
résoudre to resolve; to solve
respecter to respect
responsabilité *f* responsibility
responsable responsible
ressembler à to resemble, to look like
ressortir to go out again
ressources *f pl* resources
restaurant *m* restaurant
restaurer to restore; to restore to the throne
rester to stay, to remain
résultat *m* result
résulter to result
retard: en retard late (behind schedule)
retomber to fall back
retour *m* return; **aller et retour** round trip; **en retour** in return, on the other hand
retournent *pr ind 3rd pl of* **retourner**
retourner to go back, to return; **se retourner** to turn around
retrouver to find again; to meet up with
réunion *f* meeting
réunir to get together, to bring together; **se réunir** to meet
réussir (à) to succeed (in); to pass (an examination)
réussissait *imperf ind 3rd sg of* **réussir**
réveil *m* awakening
réveiller: se réveiller to wake up
réveillez-vous *imper of* **se réveiller**
réveillon *m* meal eaten on Christmas eve at midnight
révèle *pr ind 3rd sg of* **révéler**
révéler to reveal; **se révéler** to prove oneself
revenir to come back; to return; **qui en revient** who comes back from it
reviennent *pr ind 3rd pl of* **revenir**
révision *f* revision
revivre to revive, to come to life
revoir to see again; **se revoir** to see each other again, to meet again
révolution *f* revolution
révolutionnaire revolutionary
revu *p part of* **revoir**
revue *f* magazine
rez-de-chaussée *m* ground floor
riche rich
ridicule ridiculous
rien nothing; **ne . . . rien** nothing; **rien de plus simple** nothing simpler
rigide rigid, inflexible
risquer to risk, to run the risk of
rive *f* bank
rivière *f* stream
robe *f* dress
robuste tough
roi *m* king
rôle *m* role
Romain *m* Roman
roman *m* novel; **roman policier** detective story
romantique romantic
rompre to break, to break up
rond(e) round
Rond-point *m* circle (traffic)
rose *f* round window of stained glass
roucouler to coo (like a turtledove)
rouge red
rouler to roll
route *f* route; way; road; **trouver sa route** to find one's way

royal(e) royal
rue *f* street; **dans la rue** on the street

S

sa *see* **son**
sac *m* bag
sage wise, sagacious
sagesse *f* wisdom
saint(e) saint
Saint-Lazare name of large Paris railroad station
sais: je sais *pr ind 1st sg of* **savoir**
saison *f* season; **en toute saison** all the time; **marchand des quatre saisons** street vendor
sait: il sait *pr ind 3rd sg of* **savoir**
salaire *m* salary
saler to salt
salle *f* auditorium, large room; **salle de spectacles** theater; **salle à manger** dining room; **salle de bains** bathroom
salon *m* living room; **salon de l'Automobile** Automobile Show
sanglier *m* wild boar
sans without; but for
santé *f* health
santon *m* painted clay figure
satisfaction *f* satisfaction
satisfaisant satisfactory, successful
satisfait(e) satisfied
sauce *f* sauce, dressing
sauf except
saut *m* jump
sauté browned; **sauté au beurre** browned in butter
sauter to jump
sauver to save
savait: il savait *imperf 3rd sg of* **savoir**
savant *m* scholar
savent: ils savent *pr ind 3rd pl of* **savoir**
savez: vous savez *pr ind 2nd pl of* **savoir**
savoir to know; to know how
Scandinave *m* Scandinavian
scène *f* scene
sceptique skeptical
science *f* science
scooter *m* motor-scooter
scout *m* scout
sculpture *f* sculpture
séance *f* session
sec, sèche dry
second(e) second
secondaire secondary
secret *m* secret
section *f* section; department; division
seigneur *m* lord
sein *m* chest; bosom
Seine *f* the river which flows through Paris
seize sixteen
selon according to
semaine *f* week; **en semaine** on week days
semblable similar
semblent *pr ind 3rd pl of* **sembler**
sembler to seem
sens *m* direction; sense, meaning; **dans tous les sens** in every direction
sensé(e) sensible
sensiblement perceptibly
sentez: vous vous sentez *pr ind 2nd pl of* **se sentir**
sentimental(e) sentimental
sentir: se sentir to feel
séparation *f* separation
sept seven
septembre September
seraient: ils seraient *condl 3rd pl of* **être**
serait: il serait *condl 3rd sg of* **être**
série *f* series
sérieusement seriously
sérieux(se) serious; **prendre au sérieux** take seriously
sermon *m* sermon
seront: ils seront *fut 3rd pl of* **être**
sert *pres ind 3rd sg of* **servir**
service *m* service; **service militaire** military service; **service des P. T. T.** postal, telegraph, and telephone service
serviette *f* napkin
servir to serve, to be of use; **se servir de** to use

session *f* session, period
seul(e) alone, lonely; single
seulement only; but; **non seulement** not only
sévèrement severely, strictly
si if; whether; so; yes; **mais si** oh yes
siècle *m* century
siège *m* seat, siege
sien: le sien, la sienne, les siens, les siennes his, hers
signe *m* sign
signifie *pr ind 3rd sg of* **signifier**
signifier to mean
silencieux(se) silent
silencieusement silently
simple simple
simplicité *f* simplicity
singulier(ère) singular, notable
sinistre sinistre
sirop *m* syrup
site *m* site
situation *f* situation
situé(e) situated
six six
sixième sixth; **la classe de sixième** first year of lycée
ski *m* ski; **faire du ski** to go skiing
skieur *m* skier
sobrement soberly
social(e) social
société *f* society
sœur *f* sister
soigner to take care of
soigneusement with care
soin *m* care; **avoir soin** to take care
soir *m* evening; **tous les soirs** every evening; **le soir** in the evening
soirée *f* evening
soit *pr subj 3rd sg of* **être; soit . . . soit** either . . . or
soixante sixty
soixante-dix seventy
sol *m* soil
soldat *m* soldier
soleil *m* sun; **au soleil** in the sunshine
solide solid, compact, compactly built
solidement solidly; **solidement construit** well built
solidité *f* solidity
solitude *f* solitude
solstice *m* solstice
solution *f* solution
sombre dark
somme *f* sum
sommes: nous sommes *pr ind 1st pl of* **être; nous sommes au mois d'août** it is August
sommet *m* summit
son *m* sound
son, sa, ses his, her, its
sonne: il sonne *pr ind 3rd sg of* **sonner**
sonner to ring
sonore sonorous, of sound
sont *pr ind 3rd pl of* **être**
Sorbonne *f* the division of the University of Paris which is devoted to the study of letters and sciences
sort *m* fate
sort: il sort *pr ind 3rd sg of* **sortir**
sorte *f* sort; kind; **toute sorte** all kinds; **de sorte que** so that; **en quelque sorte** somewhat, so to speak
sorti *p part of* **sortir**
sortie *f* exit; **à la sortie** on leaving
sortir to go out, to come out
souci *m* care, worry
soudain sudden; suddenly
soudainement suddenly
souffrir to suffer
soulever to lift
soulier *m* shoe
soupe *f* soup
souplesse *f* flexibility
source *f* spring
sourire *m* smile; to smile; **en souriant** smiling
sous under; **sous une pluie fine** in a misty rain
sous-marin *m* submarine
sous-sol *m* underground level
souterrain(e) underground
souvenir *m* souvenir; **souvenirs à vendre** souvenirs for sale
souvenir: se souvenir (de) to remember
souvent often
souviens: je me souviens *pr ind 1st sg of* **se souvenir**

spécialisation *f* specialization
spécialisé specialized
spécialiser: se spécialiser to specialize
spécialiste specialist
spectacle *m* sight, spectacle
spectateur *m* spectator
spéculatif(ve) speculative
spéléologie *f* speleology, study of caves
sport *m* sport
sportif(ve) sporting
stable stable
stade *m* stadium
stalactite *f* stalactite
stalagmite *f* stalagmite
standardiser to standardize
station *f* station; **station thermale** watering place
statue *f* statue
structure *f* structure; **principes de structure** structural principles
style *m* style
submergé *p part of* **submerger**
submerger to submerge
succèdent: il se succèdent *pr ind 3rd pl of* **se succéder**
succéder to succeed, to take the place of; **se succéder** to follow each other
succès *m* success
successif(ve) successive
successivement in turn
sucre *m* sugar; **sirop de sucre** syrup made of sugar and water
sucré(e) sweetened
suffire to suffice, to be enough
suffisamment sufficiently
suffisant sufficient
suffit: il suffit *pr ind 3rd sg of* **suffire**
suffrage *m* vote; **suffrage universel** universal suffrage
suggère *pr ind 3rd sg of* **suggérer**
suggérer to suggest
suis: je suis *pr ind 1st sg of* **être**
Suisse *f* Switzerland
suit: il suit *pr ind 3rd sg of* **suivre**
suite *f* continuation; **et ainsi de suite** and so on; **à la suite de** as a result of; **tout de suite** immediately
suivant according to; **suivant(e)** following
suivent: ils suivent *pr ind 3rd pl of* **suivre**
suivi *p part of* **suivre**
suivre to follow; to take (a course)
sujet *m* subject; **à ce sujet** about that
superflu(e) superfluous, useless
supérieur(e) upper, higher
supériorité *f* superiority
suppose: je suppose *pr ind 1st sg of* **supposer**
supposer to suppose
supprimer to abolish
sur on; about; **un mois sur quatre** one month out of four
sûr(e) sure; **j'en suis sûr** I am sure of it
sûrement surely
sûreté *f* safety
surpeuplé overpopulated
surplus *m* surplus
surprendre to surprise
surpris *p part of* **surprendre**
surprise *f* surprise
surproduction *f* over-production
surtout especially, principally
suspendre to hang, to suspend
suspendu *p part of* **suspendre**
symbole *m* symbol
symbolisme *m* symbolism
symphonique symphonic
système *m* system

t

table *f* table
tableau noir blackboard
tâche *f* task
talent *m* talent
tandis que while, whereas
tant (de) so many, so much
tante *f* aunt
tantôt . . . tantôt now . . . now
tapis *m* rug
taquiner to tease
tard late; **plus tard** later
tarif: tarif douanier *m* customs
taudis *m* slums, slum tenement

taxi *m* taxi
technicien *m* technician
technique *f* technique; *adj* technical
tel, telle such; a certain
téléphone *m* telephone
télévision *f* television
tempéré temperate
temporaire temporary
temps *m* time; weather; **quel temps** what weather
tendance *f* tendency
tendre (à) to tend; **tendre** to extend
tenir to hold; **tenir compte de** to take into account; **tenir la route** to stay on the road
tennis *m* tennis; **court de tennis** tennis court
tente *f* tent
tenter to attempt
tenue *f* bearing and dress
terme *m* term
terminer to end
terrain *m* ground
terrasse *f* terrace; **terrasse d'un café** sidewalk café
terre *f* earth
terreur *f* terror
terrible terrible
terrifier terrify
terrine *f* earthenware bowl
territoire *m* territory
testament *m* testament; **Nouveau Testament** New Testament
tête *f* head; **en tête à tête** alone (two people)
texte *m* text
théâtre *m* theatre
théâtral(e) theatrical
théorie *f* theory
théorique theoretical
tien: le tien, la tienne, les tiens, les tiennes yours; **A la tienne!** To your health!
tiennent: ils tiennent *pr ind 3rd pl of* **tenir**
tiens! well!
tient *pr ind 3rd sg of* **tenir; se tient** is held
tiers *m* third
timbre *m* stamp
tintamarre *m* din, uproar
tirer to draw, to pull; **tirer parti** to make use of; **se tirer d'affaire** to get along all right
toiture *f* roof
tolérer to tolerate
tombe *f* tomb
tombée: tombée de la nuit *f* nightfall
tomber to fall
tort *m* wrong; **avoir tort** to be wrong
tortueux(euse) crooked
toucher à to touch upon
toujours always, still; **pour toujours** forever
tour *m* trip; turn; walk; **faire un tour** take a walk; **faire le tour de** to go around (something); **le Tour de France** bicycle race around France; *f* tower; **la tour Eiffel** the Eiffel Tower
tourisme *m* travel
touriste *m* tourist
tournant *m* curve
tourner to turn; **se tourner** to turn around
Toussaint *f* All Saints' Day (Nov. 1)
tout, toute, tous, toutes *adj* all, every; **toute la journée** all day; **tous les jours** every day; **tout toute, tous, toutes** *pron.* all, everybody, everything; **tout** *adv* all, quite completely; **tout de même** all the same; **tout en parlant** while talking; **pas du tout** not at all; **tout à fait** completely; **tout de suite** immediately; **tout droit** directly, straight; **tout à coup** suddenly
trace *f* trace
tradition *f* tradition
traditionnel(le) traditional
traditionnellement traditionally
tragique tragic
train *m* train; **en train de** in the act of, busy; **train transatlantique** boat train

traîneau *m* sled
traité *m* treatise
traitement *m* treatment
tranquille quiet; **soyez tranquille** don't worry
tranquillement quietly
transatlantique transatlantic; **train transatlantique** boat train
transfert *m* transfer, removal
transformation *f* transformation
transformer to transform; **se transformer** to be rebuilt
transmettre to transmit
transport *m* transportation
transporter to transport
travail *m* **travaux** *pl* work
travailler to work
travailleur *m* worker
travers: à travers through
traversent: ils traversent *pr ind 3rd pl of* **traverser**
traverser to cross
trentaine about thirty
très very
triangle *m* triangle
tribu *f* tribe
tricycle *m* tricycle
triomphal(e) triumphal
triomphe *pr ind 3rd sg of* **triompher**
triompher de to triumph over, to finish off
triste sad, depressing
troglodyte *m* cave dweller
trois three
tromper to deceive; **se tromper** to be mistaken
trompeur(euse) deceptive, misleading
trône *m* throne
trop too; too much; too many
trottoir *m* sidewalk
troupe *f* troupe
trouve: il trouve *pr ind 3rd sg of* **trouver**
trouver to find; to think; **se trouver** to find oneself, to be
truffe *f* truffle, a kind of mushroom
type *m* type; **chic type** a wonderful fellow

u

ultra-moderne ultra modern
un, une one; a; **les uns des autres** from each other; **ni l'un ni l'autre** neither
uniforme *m or adj* uniform
uniformité *f* uniformity
union *f* union
unique single, unique
universitaire academic
université *f* university
urbain(e) urban
urbanisme *m* city planning
usage *m* custom, use
usine *f* plant, factory
utiliser to use, to make use of
utilité *f* usefulness

v

va: il va *pr ind 3rd sg of* **aller**
vacances *f pl* vacation; **en vacances** on vacation
vacant(e) vacant
vacciner to vaccinate
vague vague
vaguement vaguely
vais: je vais *pr ind 1st sg of* **aller**
valise *f* handbag
valoir to be worth; **il vaut mieux** it is better
vanter to boast; to boast about
variable variable
varier to vary
variété *f* variety
vaste vast, large
vaut: il vaut *pr ind 3rd sg of* **valoir**
vécu *p part of* **vivre**
véhicule *m* vehicle
veille *f* the day (or night) before; **la veille de Noël** Christmas Eve
vendeur *m* seller, salesman; **vendeur de journaux** newspaper huckster; **vendeuse** saleswoman
vendre to sell; **se vendre** to be sold
vénérable venerable
venez *imper of* **venir; vous venez** *pr ind 2nd pl of* **venir**

venir to come; **venir de** to have just; **vient de paraître** just out
vent *m* wind; **moulin à vent** windmill
vente *f* sale
ventre *m* stomach, belly
venu *p part of* **venir,** having come, who has come
véracité *f* veracity, truth
véritable real, veritable
verrez: vous verrez *fut 2nd pl of* **voir**
verriez: vous verriez *condl 2nd pl of* **voir**
vers towards; about
verser to pour
version *f* translation
vert(e) green
vertigineux(euse) breathtaking, dizzy
vertu *f* virtue
vestige *m* vestige, remnant
vêtements *m pl* clothes
vêtir to dress
vêtu *p part of* **vêtir**
veut: il veut *pr ind 3rd sg of* **vouloir**
viande *f* meat
vice-roi *m* viceroy
victoire *f* victory
vide empty
vie *f* life; **la vie chère** the high cost of living
vieil, vieille *see* **vieux**
vieillard *m* old man; *pl* old people
viennent: ils viennent *pr ind 3rd pl of* **venir**
vient: il vient *pr ind 3rd sg of* **venir**
vieux, vieil *m,* **vieille** *f,* **vieux vieilles** *pl* old; **mon vieux** old man; **vieux de plusieurs siècles** several centuries old
vif, vive alive; **couleurs vives** bright colors
village *m* village
ville *f* town, city
villégiature *f* stay in the country
vin *m* wine
vingt twenty
vingtaine *f* about twenty
violemment violently
violette *f* violet
visage *m* face
visiter to visit, to go to see; to inspect
visiteur *m* visitor
vite fast
vitesse *f* speed; **toute sa vitesse** full speed
vitrail(aux) stained glass window
vivacité *f* animation, vivacity
vivait *imperf ind 3rd sg of* **vivre**
vivant(e) alive, living; **langue vivante** modern language
vivre to live
vogue *f* vogue, fad
voici here is
voilà there is, that is; **voilà tout** that's all
voir to see
voisin(e) neighboring; close to; **les rues voisines de** the streets near . . .
voisinage *m* vicinity, neighborhood
voit: il voit *pr ind 3rd sg of* **voir**
voiture *f* vehicle of any kind: car, carriage, pushcart
voix *f* voice; **à voix basse** in a low voice; **à haute voix** aloud
volontaire voluntary
volontairement voluntarily
volontiers gladly, willingly
volume *m* volume, book
vont: ils vont *pr ind 3rd pl of* **aller**
voter to vote
votre *adj* your; **le vôtre** *pron* yours
voudrais: je voudrais *condl 1st sg of* **vouloir; je voudrais bien** I should like very much
voulez: vous voulez *pr ind 2nd pl of* **vouloir**
vouloir to want, to wish; **vous voulez dire** you mean; **vous voulez parler** you mean; **comment voulez-vous . . .** how do you expect . . .; **Que voulez-vous!** What can you expect!
voûte *f* vault, arched ceiling
voyage *m* trip
voyageur *m* traveler
voyant *pr part of* **voir**
voyez: vous voyez *pr ind 2nd pl of* **voir**

voyons *imper of* **voir,** let's see; see here; come now
vrai(e) true; **à vrai dire** to tell the truth
vraiment truly, really
vue *f* view; opinion; vision, sight; **à perte de vue** as far as you can see
vulgaire ordinary

w

wigwam *m* wigwam

y

y there; on it; to it
yeux *see* **œil**

z

zigzaguer to zigzag
Zola French realistic novelist (1840-1902)

ILLUSTRATIONS

All photos, except those noted below, were taken by Peter Buckley.

(Les références sont indiquées par pages.)

6., 17. Commissariat Général au Tourisme 21. (à droite) Ervin Marton 28. photo Feuillie, from Commissariat Général au Tourisme 32. copyright Studio André Steiner, from Commissariat Général au Tourisme 47. photo Robert Doisneau, from Rapho-Guillumette 48. French Cultural Services 50. French Government Tourist Office 51. L'ESPOIR, St. Étienne 53. French Cultural Services 56. Commissariat Général au Tourisme 61., 62. French Cultural Services 63. photo Feher, from Direction Générale du Tourisme 64. French Cultural Services 67. Direction Générale du Tourisme 80., 82. French Cultural Services 85. photo Karquel, from Commissariat Général au Tourisme 103. photo Silberstein, from Monkmeyer Press Photo Service 122. (à gauche) photo Yves Guillemaut, from Commissariat Général au Tourisme 122. (à droite) photo Lucien Viguier, from Direction Générale du Tourisme 132. French Embassy Press and Information Division 133. Commissariat Général au Tourisme 149., 151., 152. photo Feher, from Commissariat Général au Tourisme 154., 156., 157, 159. Roger-Viollet 160. photo Lucien Viguier, from Commissariat Général au Tourisme.